I libri di Italo Calvino

10. 1. 94

Piccoli racconti!
Grande affetto tuo
lu

Italo Calvino

PRIMA CHE TU DICA
«PRONTO»

Arnoldo Mondadori Editore

ISBN 88-04-36364-9

Italo Calvino incomincia a scrivere molto presto, quand'è ancora adolescente: racconti, apologhi, poesie e opere teatrali. Il teatro è la sua prima vocazione e forse ciò che più lo interessa. Di quel periodo molte sono le opere rimaste e mai pubblicate. La sua straordinaria capacità di autocritica, di leggersi sdoppiandosi, lo porta assai rapidamente ad abbandonare quel genere. In una lettera del 1945 annuncia laconicamente all'amico Eugenio Scalfari: «Sono passato alla narrativa». Molto importante doveva essere la notizia, scritta in maiuscole che attraversano tutto lo spazio della pagina.

A partire da quel momento la sua attività di scrittore sarà ininterrotta; non c'è stato giorno in cui non abbia lavorato, in qualsiasi luogo, in qualsiasi circostanza, su un tavolo o sulle ginocchia, in aereo o in una stanza d'albergo. Non c'è dunque da stupirsi che abbia lasciato un'opera così vasta, di cui fanno parte numerosi racconti e apologhi. Oltre a quelli da lui raccolti in vari volumi, molti usciro- no soltanto su periodici e quotidiani; altri rimasero inediti.

I testi che qui si raccolgono – inediti e non – so- no solo una parte di quelli scritti tra il 1943 – quando l'Autore non ha ancora vent'anni – e il 1984.

7

Alcuni, concepiti inizialmente come romanzi, diventeranno racconti, procedimento non insolito in Calvino, che da un romanzo mai pubblicato, *Il bianco veliero*, trae più di un testo che inserisce nel volume dei *Racconti* del 1958.

Altri sono il risultato di richieste specifiche: forse non avrebbe mai scritto *La glaciazione* se una distilleria giapponese di bevande alcoliche, soprattutto di un whisky molto popolare in Oriente, non avesse deciso di festeggiare il 50° anniversario chiedendo un racconto ad alcuni noti scrittori europei. C'era una sola costrizione: quella di menzionare una qualsiasi bevanda alcolica nel testo. *La glaciazione* fu pubblicata in giapponese prima che in italiano. Curiosi anche la gestazione e il destino de *L'incendio della casa abominevole*. C'era stata una richiesta, piuttosto vaga, della IBM: fino a che punto era possibile scrivere un racconto con il computer? Questo accadeva a Parigi nel 1973, e queste macchine non erano di facile accesso. Senza perdersi d'animo e dedicando loro molto tempo, Calvino fece a mano tutte le operazioni che avrebbe dovuto fare il computer. Il racconto finì poi sull'edizione italiana di *Playboy*. In verità questo non rappresentò un problema per Calvino che lo aveva destinato mentalmente all'Oulipo come esempio di *ars combinatoria* e di sfida alle proprie capacità matematiche.

Per quanto riguarda i racconti che aprono questo libro, quasi tutti inediti e molto brevi – Calvino li chiamava «raccontini» –, può essere utile sapere che in una nota del 1943, trovata tra le sue carte giovanili, scriveva: «L'apologo nasce in tempi d'oppressione. Quando l'uomo non può dar chiara forma al suo pensiero, lo esprime per mezzo di favole.

Questi raccontini corrispondono a una serie d'esperienze politiche e sociali d'un giovane durante l'agonia del fascismo». Quando i tempi lo permetteranno, aggiungeva, e cioè dopo la fine della guerra e del fascismo, il racconto-apologo non sarà più necessario e lo scrittore potrà passare ad altro. Ma i titoli e le date di gran parte dei testi del presente volume e di altri scritti non raccolti sembrano indicare che, malgrado i ragionamenti di gioventù, Calvino avrebbe continuato a scrivere apologhi per molti anni ancora.

Sono stati inclusi in questo libro alcuni scritti difficilmente reperibili come *Il richiamo dell'acqua* e il *Piccolo sillabario illustrato*; anche se non sono né apologhi né racconti in senso stretto, meritano di essere proposti ai lettori.

In altri casi, testi che possono sembrare unici o isolati nell'insieme della sua opera fanno parte di progetti che Calvino aveva chiari in mente ma non ebbe il tempo di realizzare.

Esther Calvino

PRIMA CHE TU DICA «PRONTO»

APOLOGHI E RACCONTI

1943-1958

L'uomo che chiamava Teresa

Scesi dal marciapiede, feci qualche passo a ritro-
so guardando in su, e, giunto in mezzo alla via,
portai le mani alla bocca, a megafono e gridai verso
gli ultimi piani del palazzo: – Teresa!
La mia ombra si spaventò della luna e mi si ran-
nicchiò tra i piedi.
Passò uno. Io chiamai ancora: – Teresa! – Quello
s'avvicinò, disse: – Se non chiamate più forte non
vi sente. Proviamo in due. Allora: conto fino a tre,
al tre attacchiamo insieme –. E disse: – Uno, due,
tre –. E insieme gridammo: – Tereeesaaa!
Passò un gruppetto d'amici che tornavano dal
teatro o dal caffè e videro noi due che chiamava-
mo. Dissero: – Su, che vi diamo una voce anche
noi –. E anche loro vennero in mezzo alla strada e
quello di prima diceva uno due tre e allora tutti in
coro si gridava: – Te-reee-saaa!
Passò ancora qualcuno e si unì a noi; dopo un
quarto d'ora eravamo radunati in parecchi, una
ventina, quasi. E ogni tanto arrivava qualcuno
nuovo.
Metterci d'accordo per gridare bene, tutti insieme, non fu facile. C'era sempre qualcuno che cominciava prima del tre o che tirava troppo in lun-

15

go, ma alla fine si riusciva a fare già qualcosa di ben fatto. Si convenne che – Te – andava detto basso e lungo, – re – acuto e lungo, – sa – basso e breve. Veniva molto bene. Poi ogni tanto qualche litigio per qualcuno che stonava.

Già si cominciava ad essere affiatati, quando uno, che, a giudicare dalla voce, doveva avere la faccia piena di lentiggini, chiese: – Ma siete proprio sicuro che sia in casa?

– Io no – risposi.

– Brutt'affare – disse un altro. – Dimenticato la chiave, vero?

– Per quello – dissi – io la chiave ce l'ho.

– Allora – mi si chiese – perché non salite?

– Ma io non sto mica qui – risposi. – Sto dall'altra parte della città.

– Ma, allora, scusate la curiosità – chiese circospetto quello con la voce piena di lentiggini – qui chi ci sta?

– Non saprei davvero – dissi.

Ci fu un po' di malcontento intorno.

– Ma si può sapere allora – chiese uno con la voce piena di denti – perché chiamate Teresa qua sotto?

– Per me – risposi – possiamo anche chiamare un altro nome, o in un altro posto. Per quel che costa.

Gli altri ci rimasero un po' male.

– Non avete voluto mica farci uno scherzo? – chiese quello delle lentiggini, sospettoso.

– E che? – dissi, risentito e mi voltai verso gli altri a chieder garanzia delle mie intenzioni. Gli

16

altri restarono in silenzio, mostrando di non aver raccolto l'insinuazione.

Ci fu un momento di disagio.

– Vediamo – disse uno, bonario. – Possiamo chiamare Teresa ancora una volta, poi ce ne andiamo a casa.

E si fece ancora una volta – uno due tre Teresa! – ma non riuscì tanto bene. Poi scantonammo, chi da una parte, chi dall'altra.

Ero già svoltato in piazza, quando mi parve di sentire ancora una voce che gridava: – Tee-reee-sa!

Qualcuno doveva esser rimasto a chiamare, ostinato.

Il lampo

Mi capitò una volta, a un crocevia, in mezzo alla folla, all'andirivieni.

Mi fermai, battei le palpebre: non capivo niente. Niente, niente del tutto: non capivo le ragioni delle cose, degli uomini, era tutto senza senso, assurdo. E mi misi a ridere.

Lo strano era per me allora che non me ne fossi mai accorto prima. E avessi fin'allora accettato tutto: semafori, veicoli, manifesti, divise, monumenti, quelle cose così staccate dal senso del mondo, come se ci fosse una necessità, una conseguenza che le legasse l'una all'altra.

Allora il riso mi morì in gola, arrossii di vergogna. Gesticolai, per richiamare l'attenzione dei passanti e – Fermatevi un momento! – gridai – c'è qualcosa che non va! Tutto è sbagliato! Facciamo cose assurde! Questa non può essere la strada giusta! Dove si va a finire?

La gente mi si fermò intorno, mi squadrava, curiosa. Io rimanevo lì in mezzo, gesticolavo, smaniavo di spiegarmi, di farli partecipi del lampo che m'aveva illuminato tutt'a un tratto: e restavo zitto. Zitto, perché nel momento in cui avevo alzato le braccia e aperto bocca, la grande rivelazione m'era stata come ringhiottita e le parole m'erano uscite così, per via dello slancio.

– Ebbene? – chiese la gente – cosa vuol dire? Tutto è al suo posto. Tutto va come deve andare. Ogni cosa è conseguenza d'un'altra. Ogni cosa è ordinata con le altre. Noi non vediamo niente d'assurdo o d'ingiustificato!

E io rimasi lì, smarrito, perché alla mia vista tutto era tornato al suo posto e tutto mi sembrava naturale, semafori, monumenti, divise, grattacieli, rotaie, mendicanti, cortei; e pure non me ne veniva tranquillità, ma tormento.

– Scusate – risposi – Forse ho sbagliato io. M'era sembrato. Ma tutto è a posto. Scusate – e mi feci largo tra i loro sguardi irti.

Pure, anche adesso, ogni volta (spesso) che mi accade di non capire qualche cosa, allora, istintivamente, mi prende la speranza che sia di nuovo la volta buona, e che io torni a non capire più niente, a impossessarmi di quella saggezza diversa, trovata e perduta nel medesimo istante.

Chi si contenta

C'era un paese dove era proibito tutto.

Ora, l'unica cosa non proibita essendo il gioco della lippa, i sudditi si riunivano in certi prati che erano dietro al paese e lì, giocando alla lippa, passavano le giornate.

E siccome le proibizioni erano venute un poco per volta, sempre per giustificati motivi, non c'era nessuno che trovasse a ridire o non sapesse adattarsi.

Passarono gli anni. Un giorno i connestabili videro che non c'era più ragione a che tutto fosse proibito e mandarono messi ad avvertire i sudditi che potevano fare quel che volevano.

I messi andarono in quei posti dove usavano riunirsi i sudditi.

– Sapete – annunziarono – non è più proibito niente.

Quelli continuavano a giocare alla lippa.

– Avete capito? – insistettero i messi. – Siete liberi di fare quel che volete.

– Bene – risposero i sudditi. – Noi giochiamo alla lippa.

I messi s'affannarono a ricordar loro quante occupazioni e belle e utili vi fossero cui loro avevano atteso in passato e cui potevano di nuovo attendere d'allora in poi. Ma quelli non davano retta e continuavano a giocare, una botta dopo l'altra, senza nemmeno prender fiato.

Visti vani i tentativi, i messi andarono a dirlo ai connestabili.

– Presto fatto – dissero i connestabili. – Proibiamo il gioco della lippa.

Fu la volta che il popolo fece la rivoluzione e li ammazzò tutti.

Poi senza perdere tempo, tornò a giocare alla lippa.

Fiume asciutto

Ora, io mi ritrovai nel fiume asciutto. Già da tempo mi teneva un paese non mio, ove le cose anzi che farmisi a poco a poco più familiari, sempre più mi apparivano come velate da insospettate differenze: e nelle forme e nei colori e nelle reciproche armonie. Altre da quelle che avevo imparato a conoscere mi circondavano ora colline, con delicate curvature di declivi, e i campi pure e le vigne andavano i quieti declivi seguendo e le terrazze erte, s'abbandonavano in docili pendenze. Tutti nuovi erano i colori, come toni di un arcobaleno sconosciuto. Gli alberi, sparsi, sembravano sospesi, come piccole nubi, e quasi trasparenti.

Allora io m'accorsi dell'aria, di come essa si faceva concreta al mio sguardo, e mi riempiva le mani come io le protendevo in essa. E vidi me impossibile a conciliare con il mondo intorno, scosceso e calcinoso com'ero io dentro e con squarci di colore d'una vivezza quasi cupa, come urli o risate. E per quanto m'ingegnassi a mettere parole tra me e le cose, non mi riusciva di trovarne d'adatte a rivestirle; perché tutte le mie parole erano dure e appena scheggiate: e il dirle era come posare tante pietre.

Pure, se in me si veniva disviluppando qualche sopita memoria, questa era di cose non vissute ma di apprese: forse paesi non creduti visti sul fondo di antiche pitture, forse parole di antichi poeti incompresi.

In una tale fluida atmosfera io vivevo si può dire nuotando e sentivo via via smussarmisi gli attriti ed io dissolvermi, assorbito in essa.

Ma a ritrovar me stesso, bastò che m'incontrassi nel vecchio fiume asciutto.

Mi muoveva – era estate – un desiderio d'acqua, religioso, quasi di un rito. Mi disponevo, scendendo tra le vigne quella sera, a un bagno sacro e la parola acqua, già per me sinonimo di felicità, si dilatava nella mia mente come nome ora di dea ora di amante.

Me ne apparve il tempio sul fondo della valle, dietro una pallida sponda di arbusti. Era un grande fiume di sassi bianchi, pieno di silenzio.

Solo vestigio d'acqua, un rivolo strisciava in disparte, quasi di nascosto. A tratti l'esiguità del rigagnolo, tra pietre grandi precludenti l'intorno e rive di canneti, mi ritrasportava tra i noti torrenti e mi riproponeva alla memoria più strette e faticate valli.

Fu questo: e forse anche il contatto delle pietre sotto i miei piedi – rosi sassi del fondo dal dorso incrostato d'un velo d'alghe rattrappite – o l'inevitabile muovere dei miei passi, a balzi, da l'uno scoglio all'altro, o forse fu solo un rumore che fece la ghiaia, franando.

Sta il fatto che il divario tra me e i luoghi qui

scemò e si compose: una sorta di fratellanza come di metafisica consanguineità mi legava a quel pietrame, fecondo solo di timidi, tenacissimi licheni. E nel vecchio fiume asciutto riconobbi un mio antico padre ignudo.

Così, noi andavamo per il fiume asciutto. Colui che si muoveva con me era un compagno di sorte, uomo dei luoghi, cui l'oscurità della pelle e del pelame che gli scendeva a barbe fino dalla schiena, unita a la tumidezza delle labbra e al profilo camuso, conferiva un grottesco sembiante di capotribù non so meglio se congolese o oceàno. Presentava egli un fiero e gagliardo aspetto e nel viso ancorché occhialuto e nel procedere contrastato però dalla goffa sbracatura di quei bagnanti improvvisati che eravamo. Benché casto nella vita come un quacchero, era all'incontro osceno come un satiro nei discorsi. Il suo accento era quanto di più aspirato e fumigante mi fosse mai stato dato d'intendere: parlava egli a bocca eternamente spalancata o piena d'aria emettendo, a sfogo continuo del carattere sulfureo, uragani d'improperi mai uditi.

Tali, noi risalivamo il fiume asciutto in cerca d'un allargamento della vena dove lavare i nostri corpi, lordi e stanchi che erano.

Ora, a noi che camminavamo per il grande ventre, a un'ansa, lo sfondo s'arricchì di nuóvi oggetti. Su alti scogli bianchi, avventura per gli sguardi, sedevano due, tre, forse quattro signorine, in costume da bagno. Costumi rossi e gialli – anche azzurri, è probabile, ma di questo non ricordo: solo di rosso e di giallo abbisognavano i miei occhi – e cuffiette, come in una spiaggia alla moda.

Fu come il canto di un gallo.

Un verde palmo d'acqua correva lì vicino e arrivava ai calcagni; loro per bagnarsi vi si accoccolavano.

Ci arrestammo, divisi tra la letizia della vista, il morso dei rimpianti ch'essa ci destava, e la vergogna di noi brutti e ingaglioffiti. Poi avanzammo verso di loro che stavano con indifferenza considerandoci e azzardammo qualche frase, studiandole, come suole, più spiritose e banali che potessimo. Il compagno sulfureo secondò il gioco senz'entusiasmo con una sorta di timido riserbo.

Sta il fatto che dopo poco, stanchi e del nostro faticoso dire e del freddo rispondere di quelle, ci rimettemmo in cammino, dando libero corso a più agevoli commenti. E, a consolarci, bastava, custodito negli occhi, quel ricordo più che di corpi, di costumi da bagno gialli e rossi.

Talora un braccio della corrente, non fonda, si spandeva allagando tutto l'alveo; e noi, alte e inaccessibili essendo le rive, lo traversavamo coi piedi nell'acqua. Portavamo scarpe leggere, di tela e gomma e l'acqua ci correva dentro: e quando si tornava nell'asciutto i piedi ci guazzavano dentro ad ogni passo, con sbuffi e sciacquio.

Imbruniva. Il pietrame bianco s'animava di punti neri, saltanti: i gerini.

Dovevano aver messo le zampe allora allora, piccoli e coduti che erano, e sembravano non essersi ancora ben capacitati di quella nuova forza che,

25

tratto a tratto, li sbalestrava in aria. Ogni pietra ne aveva uno, ma per poco, che quello saltava e un altro succedeva al suo posto. E poi che simultanei erano i balzi e poi che procedendo per il grande fiume altro non si vedeva che il pullulare di quella moltitudine anfibia, avanzante come un esercito senza limiti, un senso di sgomento mi si faceva dentro, quasi quella sinfonia in bianco e nero, quel cartone animato triste come un disegno cinese, paurosamente rendesse l'idea dell'infinito.

Ci si fermò a uno specchio d'acqua che prometteva spazio bastante a immergere tutto il nostro corpo; anzi, ad allungare qualche bracciata. Io m'immersi scalzo e spogliato: era un'acqua vegetale, putrida per un lento sfacelo di piante fluviali. Il fondo era viscido e melmoso: e innalzava, a toccarlo, torbide nuvole fino alla superficie.

Pure, era acqua; ed era bella.

Il compagno scese in acqua con scarpe e calze, solo lasciando a riva gli occhiali. Poi, poco compreso del lato religioso della cerimonia, prese ad insaponarsi.

Cominciammo così quella giuliva festa che è il lavarsi, quando esso è raro e difficile. Il laghetto che ci conteneva appena traboccava di schiuma e di barriti, come per un bagno di elefanti.

Sulle prode del fiume erano salici e arbusti e case con ruote da molino; e tale era la loro irrealtà, in confronto alla concretezza di quell'acqua e di quelle pietre, che il grigio della sera, infiltrandosi, dava loro l'aspetto di un arazzo stinto.

Il compagno si lavava i piedi, ora, in strana guisa: senza scalzarsi e insaponandosi scarpe e calze addosso.

Poi, ci asciugammo e ci vestimmo. Da una mia calza, nel raccoglierla, saltò fuori un gerino. Sugli occhiali del compagno, posati a riva, doveva esser arrivata un'acquata. E – come se li mise – così gaio dovette apparirgli lo scompiglio di quel mondo, colorato dagli ultimi sprazzi del tramonto, visto attraverso un paio di lenti bagnate, che prese a ridere, a ridere, senza freno e a me che ne chiedevo ragione disse: «Vedo tutto un puttanaio!».

E, più lindi, con una tiepida spossatezza in corpo, al posto della sorda stanchezza di prima, ci accomiatammo dal nuovo amico fiume e ci allontanammo per una stradella che seguiva la riva ragionando delle cose nostre e di quando v'avremmo fatto ritorno, e tendendo gli orecchi, attenti a lontani suoni di tromba.

Coscienza

Venne una guerra e un certo Luigi chiese se poteva andarci, da volontario.

Tutti gli fecero un sacco di complimenti. Luigi andò nel posto dove davano i fucili, ne prese uno e disse: – Adesso vado a ammazzare un certo Alberto.

Gli chiesero chi era questo Alberto.

– Un nemico – rispose, – un nemico che ci ho io.

Quelli gli fecero capire che doveva ammazzare dei nemici di una data qualità, non quelli che piacevano a lui.

– E che? – disse Luigi – Mi pigliate per ignorante? Quel tale Alberto è proprio di quella qualità, di quel paese. Quando ho saputo che ci facevate la guerra contro, ho pensato: vengo anch'io, così posso ammazzare Alberto. Per questo son venuto. Alberto io lo conosco: è un farabutto e per pochi soldi mi ha fatto fare una brutta parte davanti a una. Sono faccende vecchie. Se non ci credete, vi racconto tutto per disteso.

Loro dissero che sì, che andava bene.

– Allora – fece Luigi – mi spiegate dov'è Alberto, così ci vado e ci combatto.

Loro dissero che non ne sapevano.

– Non importa – disse Luigi, – mi farò spiegare. Prima o poi lo troverò bene.

Quelli gli dissero che non si poteva, che lui doveva fare la guerra dove lo mettevan loro, e ammazzare chi capitava, di Alberto o non Alberto loro non sapevano niente.

– Vedete – insisteva Luigi – bisogna proprio che vi racconti. Perché quello è proprio un farabutto e fate bene a farci la guerra contro.

Ma gli altri non ne volevano sapere.

Luigi non riusciva a farsi ragione: – Scusate, per voi se ammazzo un nemico o se ne ammazzo un altro è lo stesso. A me invece di ammazzare qualcuno che magari con Alberto non ha niente a che vedere, dispiace.

Gli altri persero la pazienza. Qualcuno gli spiegò di tante ragioni e di come era fatta la guerra e che uno non poteva andarsi a cercare il nemico che voleva.

Luigi alzò le spalle. – Se è così – disse – io non ci sto.

– Ci sei e ci stai! – gridarono quelli.

– Avanti-march, un-duè, un-duè! – E lo mandarono a far la guerra.

Luigi non era contento. Ammazzava dei nemici, così, per vedere se gli capitava di ammazzare anche Alberto o qualche suo parente. Gli davano una medaglia ogni nemico che ammazzava, ma lui non era contento. – Se non ammazzo Alberto – pensava – ho ammazzato tanta gente per niente. – E ne aveva rimorso.

Intanto gli davano medaglie su medaglie, di tutti i metalli.

Luigi pensava: – Ammazza oggi ammazza domani, i nemici diminuiranno e verrà pure la volta di quel farabutto.

Ma i nemici si arresero prima che Luigi avesse trovato Alberto. Gli venne il rimorso di aver ammazzato tanta gente per niente, e siccome c'era la pace, mise tutte le medaglie in un sacco e girò per il paese dei nemici a regalarle ai figli e alle mogli dei morti.

Girando così, successe che trovò Alberto.

– Bene – disse – meglio tardi che mai – e lo ammazzò.

Fu la volta che lo arrestarono, lo processarono per omicidio e lo impiccarono. Al processo badava a ripetere che l'aveva fatto per mettersi a posto con la coscienza, ma nessuno lo stava a sentire.

Solidarietà

Mi fermai a guardarli.

Lavoravano così, di notte, in quella via appartata, intorno alla saracinesca di un negozio.

Era una saracinesca pesante: loro facevano leva con un palo di ferro ma quella non si alzava.

Passavo di lì, solo e per caso. Mi attaccai anch'io al palo a far forza. Loro mi fecero posto.

Non s'andava bene a tempo; io feci «Ooh-op!» Il compagno di destra mi diede una gomitata e, piano: «Zitto! – mi disse – sei matto! Vuoi che ci sentano?»

Io scossi il capo come a dire che mi era sfuggito.

Ci mettemmo un po' e sudammo ma alla fine l'alzammo tanto che si poteva passarci. Ci si guardò in faccia, contenti. Poi s'entrò. A me diedero da tenere un sacco. Gli altri portavano roba e la mettevano dentro.

«Purché non arrivino quei vigliacchi della polizia!» dicevano.

– Davvero – rispondevo io. – Vigliacchi che non sono altro! – Zitto. Non senti rumore di passi? – facevano ogni tanto. Io tendevo le orecchie con un po' di paura. – Ma no, non sono loro! – rispondevo.

– Quelli arrivano sempre quando meno ce li si aspetta! – mi faceva uno.

Io scuotevo il capo. – Ammazzarli tutti, si dovrebbe – dicevo.

Poi mi dissero di andare un po' fuori, alla svolta, a vedere se arrivava nessuno. Io andai.

Fuori, alla svolta, c'erano degli altri rasenti ai muri, nascosti negli angoli, che venivano avanti.

Mi ci misi anch'io.

– Dei rumori laggiù, verso quei negozi – disse quello che mi era vicino.

Io feci capolino.

– Metti la testa dentro, imbecille, che se ci vedono ci scappano un'altra volta – bisbigliò.

– Guardavo… – mi scusai e m'acquattai al muro.

– Se ci riesce di aggirarli senza che se ne accorgano – fece un altro – li prendiamo in trappola tanti quanti sono.

Ci muovevamo a balzi, in punta di piedi, trattenendo il respiro: ogni poco ci guardavamo l'un l'altro, con gli occhi lustri.

– Non ci scappano più – dissi.

– Finalmente riusciremo a coglierli con le mani nel sacco – fece uno.

– Era ora – dissi io.

– Cani di delinquenti, svaligiare così i negozi! – disse quello.

– Cani, cani! – ripetei io, con rabbia.

Mi mandarono un po' avanti, a vedere. Capitai dentro il negozio.

– Ormai – diceva uno mettendo in ispalla un sacco – non ci pigliano più.

– Svelti – disse un altro – tagliamo via dal retrobottega! Così gli scappiamo di sotto al naso.

Avevamo tutti un sorriso di trionfo sulle labbra. – Resteranno con un bel palmo di naso – dissi. E si sgattaiolò nel retrobottega.

– Ancora una volta che li giochiamo come merli! – dicevano. Su quella si sentì: – Alto là, chi va là – e le luci si accesero. Noi ci acquattammo dietro un nascondiglio, pallidi, e ci prendemmo per mano. Quelli entrarono anche lì, non ci videro, girarono. Noi schizzammo fuori e via a gambe levate. – Glie l'abbiamo fatta! – gridammo. Io inciampai due o tre volte e rimasi indietro. Mi trovai in mezzo agli altri che correvano pure.

– Dai – mi dissero – che li raggiungiamo.

E tutti si galoppava pei vicoli, inseguendo. – Corri di qui, taglia di là – ci si diceva e quelli ci avanzavano ormai di poco, e si gridava: – Dai che non ci scappano.

Io riuscii a mettermi alle calcagna di uno. Quello mi disse: – Bravo, sei riuscito a scappare. Forza, da questa parte, che facciamo perdere le tracce! – e io mi accodai a lui. Dopo un po' mi trovai solo, in un vicolo. Uno mi scantonò vicino, mi disse correndo: «Dai, da questa parte, li ho visto io, non possono essersi allontanati». Io corsi un po' dietro a lui.

Poi mi fermai, sudato. Non c'era più nessuno, non si sentivano più grida. Rimasi con le mani in tasca e ripresi a passeggiare, solo e a caso.

La pecora nera

C'era un paese dove erano tutti ladri.

La notte ogni abitante usciva, coi grimaldelli e la lanterna cieca, e andava a scassinare la casa di un vicino. Rincasava all'alba, carico, e trovava la casa svaligiata.

E così tutti vivevano in concordia e senza danno, poiché l'uno rubava all'altro, e questo a un altro ancora e così via, finché non si arrivava a un ultimo che rubava al primo. Il commercio in quel paese si praticava solo sotto forma d'imbroglio e da parte di chi vendeva e da parte di chi comprava. Il governo era un'associazione a delinquere ai danni dei sudditi, e i sudditi dal canto loro badavano solo a frodare il governo. Così la vita proseguiva senza inciampi, e non c'erano né ricchi né poveri.

Ora, non si sa come, accadde che nel paese si venisse a trovare un uomo onesto. La notte, invece di uscirsene col sacco e la lanterna, stava in casa a fumare e a leggere romanzi.

Venivano i ladri, vedevano la luce accesa e non salivano.

Questo fatto durò per un poco: poi bisognò fargli comprendere che se lui voleva vivere senza far niente, non era una buona ragione per non lasciar fare agli altri. Ogni notte che lui passava in casa, era una famiglia che non mangiava l'indomani.

Di fronte a queste ragioni l'uomo onesto non poteva opporsi. Prese anche lui a uscire la sera per tornare all'alba, ma a rubare non ci andava. Onesto era, non c'era nulla da fare. Andava fino al ponte e stava a veder passare l'acqua sotto. Tornava a casa, e la trovava svaligiata.

In meno di una settimana l'uomo onesto si trovò senza un soldo, senza di che mangiare, con la casa vuota. Ma fin qui poco male, perché era colpa sua; il guaio era che da questo suo modo di fare ne nasceva tutto uno scombinamento. Perché lui si faceva rubare tutto e intanto non rubava a nessuno; così c'era sempre qualcuno che rincasando all'alba trovava la casa intatta: la casa che avrebbe dovuto svaligiare lui. Fatto sta che dopo un poco quelli che non venivano derubati si trovarono ad essere più ricchi degli altri e a non voler più rubare. E, d'altronde, quelli che venivano per rubare in casa dell'uomo onesto la trovavano sempre vuota; così diventavano poveri.

Intanto, quelli diventati ricchi presero l'abitudine anche loro di andare la notte sul ponte, a veder l'acqua che passava sotto. Questo aumentò lo scompiglio, perché ci furono molti altri che diventarono ricchi e molti altri che diventarono poveri.

Ora, i ricchi videro che ad andare la notte sul ponte, dopo un po' sarebbero diventati poveri. E pensarono: – Paghiamo dei poveri che vadano a rubare per conto nostro –. Si fecero i contratti, furono stabiliti i salari, le percentuali: naturalmente sempre ladri erano, e cercavano di ingannarsi gli uni con gli altri. Ma, come succede, i ricchi diventavano sempre più ricchi e i poveri sempre più poveri.

C'erano dei ricchi così ricchi da non aver più bisogno di rubare e di far rubare per continuare a esser ricchi. Però se smettevano di rubare diventavano poveri perché i poveri li derubavano. Allora pagarono i più poveri dei poveri per difendere la roba loro dagli altri poveri, e così istituirono la polizia, e costruirono le carceri.

In tal modo, già pochi anni dopo l'avvenimento dell'uomo onesto, non si parlava più di rubare o di esser derubati ma solo di ricchi o di poveri; eppure erano sempre tutti ladri.

Di onesti c'era stato solo quel tale, ed era morto subito, di fame.

Buon a nulla

Il sole entrava nella via di sbieco, già alto, illuminandola disordinatamente, ritagliando le ombre dei tetti sui muri delle case di fronte, accendendo di barbagli le vetrine agghindate, battendo, sbucato da insospettati spiragli, sul volto dei passanti frettolosi, che si scansavano su marciapiedi affollati.

Vidi per la prima volta l'uomo dagli occhi chiari a un crocicchio, fermo o in marcia, non ricordo bene: certo che la sua figura mi si faceva sempre più vicina, o che io andassi incontro a lui, o viceversa. Era alto e magro, vestito d'un impermeabile chiaro, con un paracqua ben chiuso, e striminzito appeso al braccio. Aveva in testa un feltro, chiaro anch'esso, dalla tesa larga e tonda; e, subito sotto, gli occhi, grandi, freddi, liquidi, con un movimento strano agli angoli. Non si capiva che età avesse, tutto raso e magro. Teneva in una mano un libro, chiuso con un dito dentro, come per tenere il segno.

Subito, mi parve di sentire il suo sguardo posato su di me, uno sguardo immobile che mi comprendeva dalla testa ai piedi e non mi risparmiava neppure dietro e dentro. Voltai gli occhi altrove di botto, ma, andando, a ogni poco mi veniva da lanciargli

37

contro delle sbirciate rapide, e ogni volta me lo ri-
vedevo più vicino, a guardarmi. Finii per trovarme-
lo davanti fermo, con la bocca quasi senza labbra
che stava per inclinarsi in un sorriso. L'uomo tirò
fuori di tasca un dito, lentamente, e con esso indicò in terra, ai miei piedi; fu allora che parlò, con
una voce un po' umile, magra.

– Scusi – disse – ha una scarpa slegata.

Era vero. I due capi della stringa mi pendavano
ai lati di una scarpa trascinati e pesti. Arrossii leggermente, bofonchiai un – grazie –, mi chinai.

Fermarsi per la strada a legarsi una scarpa è sec-
cante: specie fermarcisi come mi ci fermai io, in
mezzo al marciapiede, senza posare il piede su un
rialzo, inginocchiato in terra, con la gente che mi
inciampava contro. L'uomo dagli occhi chiari, fatto
un vago gesto di saluto, se n'era subito andato.

Ma era destino che lo riincontrassi: non era passato un quarto d'ora che me lo rividi davanti, fermo a guardare una vetrina. E allora mi prese una
smania incomprensibile di voltarmi e di tornare indietro, o meglio di passare lesto lesto, adesso che
lui stava attento alla vetrina, perché non se ne ac-
corgesse. No: già era troppo tardi, lo sconosciuto
s'era voltato, m'aveva visto, mi guardava, voleva
dirmi ancora qualche cosa. Mi fermai davanti a lui,
con paura. Lo sconosciuto aveva un tono ancora
più umile.

– Guardi – disse – è ancora slegata.

Io avrei voluto scomparire in una nuvola. Non
risposi nulla, mi chinai ad annodare la stringa con
rabbiosa diligenza. Mi fischiavano le orecchie e mi

sembrava che le persone che passavano intorno a me scansandomi fossero tutte le stesse che già mi avevano scansato la prima volta e già m'avessero notato, e tra di loro mormorassero ironici commenti.

Ora però la scarpa era legata stretta e bene, e io camminavo leggero e sicuro. Anzi adesso speravo, con una sorta di inconscio orgoglio, d'imbattermi ancora nello sconosciuto, quasi a riabilitarmi.

Purtuttavia, appena, fatto il giro lungo della piazza, mi ritrovai a pochi passi da lui, sullo stesso marciapiede, l'orgoglio cessò d'urgermi dentro, d'improvviso, e subentrò lo sgomento. Infatti lo sconosciuto aveva in volto una espressione rincresciuta, guardandomi, e mi s'avvicinava scuotendo leggermente il capo, con l'aria di chi si duole di qualche fatto naturale superiore alla volontà degli uomini.

Mettendo avanti i passi, io mi sbirciavo la scarpa incriminata, con apprensione; era sempre annodata, come prima. Pure, con mio sgomento, lo sconosciuto continuò a scuotere il capo per un po', poi disse:

– Adesso s'è slegata l'altra.

Ora io avevo quel desiderio che viene nei brutti sogni, di cancellare tutto, di svegliarmi. Ostentai una smorfia di rivolta, addentandomi un labbro come in un'imprecazione repressa e ripigliai a cincischiare freneticamente i legacci, curvo in mezzo alla via. M'alzai con le fiamme sotto gli occhi e camminai via a testa bassa, di nient'altro desideroso che di sottrarmi agli sguardi della gente.

Ma il tormento non era ancora finito, quel giorno: mentre arrancavo per la via di casa, con fretta, sentivo che le volute del fiocco, piano piano scivolavano una sull'altra, che il nodo si andava allentando sempre più, che i legacci, a poco a poco, mi si svolgevano. Dapprima rallentai il passo, quasi un po' di cautela bastasse a sostenere il malcerto equilibrio di quel garbuglio. Ma casa mia era ancora lontana e già i capi della stringa si trascinavano sul selciato, in corti svolazzi. Allora la mia andatura fu affannosa, da fuga, sotto l'incalzare d'un terrore folle: il terrore di incontrarmi ancora con l'inesorabile sguardo di quell'uomo.

Era quella una città piccola, raccolta, tutta andirivieni; a girarla, in mezz'ora si rincontravano tre, quattro volte le stesse facce. Ora io marciavo in essa con andatura d'incubo, combattuto tra la vergogna di mostrarmi ancora in via con una scarpa slegata, e la vergogna di farmi vedere ancora chino a legarla. Gli sguardi della gente mi sembravano affoltirsi intorno a me, come rami di un bosco. Mi tuffai nel primo portone che incontrai, a rifugiarmi.

Ma in fondo all'andito, nella mezzaluce, in piedi, con le mani appoggiate al gancio dell'ombrello striminzito, era fermo l'uomo dagli occhi chiari, e pareva m'aspettasse.

Io ebbi prima uno sbocco di stupore, poi azzardai qualcosa come un sorriso, e m'indicai la scarpa slegata, a prevenirlo.

Lo sconosciuto assentì con quell'aria di mesta comprensione che aveva.

– Già – disse – sono slegate tutt'e due.

Nel portone se non altro c'era più calma, per legarsi le scarpe, e più comodità, poggiando un piede su un gradino. Anche se dietro, alto, in piedi avevo l'uomo dagli occhi chiari che mi osservava e non perdeva una mossa delle mie dita e sentivo il suo sguardo in mezzo ad esse, ad imbrogliarmi. Ma dai e dai ormai io non pativo più nulla; fischiettavo anzi, ripetendo per l'ennesima volta quei nodi maledetti, ma proprio per bene questa volta, da disinvolto che ero.

Sarebbe bastato che quell'uomo fosse stato zitto, non avesse cominciato, prima a tossicchiare, un po' incerto, poi a dire, tutto in una volta, deciso:

– Scusi, lei le scarpe non ha ancora imparato a legarsele.

Voltai la faccia arrossita verso di lui, restai curvo. Mi passai la lingua tra le labbra.

– Sa – dissi – io per i nodi son proprio negato. Non mi crederebbe. Da bambino non ho mai voluto mettermi lì a imparare. Le scarpe me le levo e me le metto senza slegarle, col corno cavastivali. Per i nodi sono negato, mi ci imbroglio. Non si crederebbe.

Allora lo sconosciuto disse una cosa strana, l'ultima cosa che ci si sarebbe aspettati potesse voler dire.

– Allora – disse – ai suoi figli, se ne avrà, come farà a insegnare a legar le scarpe?

Ma il più strano fu che io ci riflettei su un momento e poi risposi, quasi già mi fossi proposta altra volta tra me e me la questione e l'avessi risolta e tenessi in serbo la risposta, come aspettando che prima o poi qualcuno mi rivolgesse quella domanda.

– I miei figli – dissi – vedranno dagli altri com'è che ci si lega le scarpe.

Lo sconosciuto replicò, sempre più assurdo:

– E se per esempio venisse il diluvio universale e tutta l'umanità perisse e lei fosse il prescelto, lei e i suoi figli, a continuare l'umanità. Come farebbe, ha mai pensato? Come farebbe a insegnar loro i nodi? Perché se no, dopo, chissà quanti secoli dovrebbe passare l'umanità, prima di riuscire a fare un nodo, a riinventarlo!

Io non raccapezzavo più niente, né del nodo, né del discorso.

– Ma – provai a obbiettare – perché dovrei essere proprio io il prescelto, come dice lei, proprio io che non so nemmeno fare un nodo?

L'uomo dagli occhi chiari era contro luce sulla soglia del portone: c'era nella sua espressione qualcosa di terribilmente angelico.

– Perché io? – disse – Tutti gli uomini mi rispondono così. E tutti gli uomini hanno un loro nodo alla scarpa, una loro cosa che non sanno fare; una loro incapacità che li lega agli altri uomini. La società si regge ormai su questa asimmetria degli uomini: è un incastro di pieni e di vuoti. Ma il diluvio? Se venisse il diluvio e si cercasse un Noè? Non tanto un uomo giusto quanto un uomo che fosse capace di portare in salvo quelle poche cose, tutto quello che basta per ricominciare. Vede, lei non sa legarsi le scarpe, un altro non sa piallare il legno, un altro ancora non ha letto Tolstoi, un altro non sa seminare il grano e così via. Da anni lo sto cercando, e, mi creda, è difficile, terribilmente difficile; l'umanità pare debba tenersi per mano come quel cieco e quello zoppo che non possono andare separati, eppure litigano. Vuol dire che se verrà il diluvio morremo tutti insieme.

Così dicendo si voltò e scomparve nella via. Non l'ho più visto e ancora oggi mi domando se era uno strano maniaco oppure un angelo, che gira da anni invano in mezzo agli uomini, alla ricerca di un Noè.

Come un volo d'anitre

Si svegliò sentendo sparare e saltò giù dal tavolaccio; nel parapiglia qualcuno apriva le porte delle celle, anche la sua. S'affacciò un biondo con la barba, muovendo una pistola; gli disse: «Dài, spicciati a scappare che sei libero». Natale si rallegrò senza capire, ricordò d'essere nudo, in maglietta, mise le gambe dentro un paio di calzoni militari, unico altro suo indumento, bestemmiando perché non s'infilavano.

Fu allora che entrò quello col bastone, alto due metri; aveva un occhio strabico e muoveva le narici, mugolando: «Duve i sun? Duve i sun?» Natale se lo vide già col bastone alto sulla sua testa, che gli scendeva addosso. Fu come se uno stormo d'anitre gli avesse preso il volo dal cervello; uno sprazzo rosso lo bruciò in mezzo al cranio. Cascò in un pozzo d'ovatta, insensibile al mondo.

Venne uno dei militi che erano d'accordo con loro già da prima, gridò: «Cos'hai fatto? Era un prigioniero!» Subito in molti s'affannarono intorno all'uomo in terra che perdeva sangue dalla testa. Quello dal bastone non si raccapezzava: «Sapevo assai! Con quei calzoni da fascista!»

Intanto bisognava sbrigarsi, da un momento all'altro potevano arrivare i neri di rinforzo. Si trattava di prendere i mitra, i caricatori, le bombe, bruciare tutto il resto, specialmente le carte; ogni tanto qualcuno andava a dare una voce agli ostaggi: «Andiamo, siete pronti?» Ma quelli erano in orgasmo; il generale girava per la cella in camicia. «Adesso mi vesto» diceva. Il farmacista con la cravatta all'anarchica chiedeva consiglio al prete; l'avvocatessa invece era bell'e pronta.

Poi bisognava tener d'occhio i militi fatti prigionieri, due vecchi in brache alla zuava che stavano sempre fra i piedi a parlare della famiglia e dei figli, e il sergente zitto nell'angolo, con la faccia piena di vene gialle.

Alla fine il generale cominciò a dire che loro erano lì come ostaggi, che erano sicuri d'esser liberati presto, che invece in banda non si sapeva come sarebbe andata. L'avvocatessa, trentenne, prosperosa, a venire in banda ci sarebbe stata, ma il prete e il farmacista furono d'accordo col generale e rimasero tutti.

Suonavano le due di notte quando, chi da una strada, chi dall'altra, i partigiani presero il largo verso i monti, e insieme a loro i due piantoni che li avevano aiutati a entrare, qualche ragazzo liberato dalle celle e, spinti coi mitra nella schiena, quei tre fascisti prigionieri. Il lungo del bastone involse la testa del ferito in un asciugamano e se lo caricò in spalla.

Avevano appena scantonato che sentirono una sparatoria dall'altra parte della città. Era quel matto di Gek, in mezzo alla piazza, che sparava raffiche in aria perché i neri accorressero lì e perdessero del tempo.

All'accampamento l'unico disinfettante era la pomata di sulfamidici per gli sfoghi alle gambe: a riempire il buco che Natale aveva in testa ci sarebbe andato tutto il tubetto. Due uomini furono mandati alla mattina per medicinali da un dottore sfollato nelle campagne di sotto.

La voce si sparse, la gente era contenta per il colpo della notte alla caserma dei militi; in giornata i partigiani s'erano riusciti a procurare tanto materiale da fargli delle docce di disinfettante sul cranio, e mettergli un turbante di garza, cerotti e bende. Ma Natale, a occhi chiusi e bocca aperta, continuava a fare il morto, e non si capiva se gemesse o se russasse. Poi, a poco a poco, attorno a quel punto del cranio, così sempre atrocemente vivo, principiarono a prender forma colori, sensazioni, ma ogni volta era uno strappo in mezzo alla testa, un volo d'anitre negli occhi, che lo facevano stringere i denti e articolare qualcosa nei gemiti. Il giorno dopo Paulin, che faceva da cuoco, da infermiere e da becchino, diede la buona notizia: «Sta guarendo! Ha bestemmiato!».

Dopo le bestemmie venne la voglia di mangiare; cominciò a rovesciarsi nello stomaco delle gavette di minestrone come se le bevesse, sbrodolandocisi fino ai piedi. Allora sorrideva, con una faccia tonda e beata, da animale, in mezzo alle bende e al cerotto, brontolando chissà che cosa.

– Ma che lingua parla – domandavano gli altri, standolo a guardare. – Da che paese arriva?

46

– Chiedetelo a lui – rispondevano i compagni di prigionia e gli ex piantoni. – Uh, paesà, di che paese sei? – Natale socchiudeva gli occhi per pensare, ma poi dava in un gemito e tornava a smozzicare frasi incomprensibili.

– È diventato scemo – chiedeva il Biondo, che era il capo – oppure lo era anche da prima? – Gli altri non sapevano bene. – Certo la botta è stata forte – dicevano – Se non lo era da prima lo è diventato adesso.

Con quella sua faccia a fondo di padella, tonda, piatta e nera, Natale era in giro per il mondo da quando, tanti anni prima, l'avevano chiamato militare. Di casa sua non ne aveva più saputo perché a scrivere non era capace e a leggere nemmeno. Qualche volta l'avevano mandato in licenza, ma lui sbagliava treno e finiva a Torino. Dopo l'otto settembre era capitato nella Todt e aveva continuato a girare, mezzo nudo, con la gavetta legata alla cintura. Poi l'avevano messo dentro. A un tratto venivano a liberarlo e gli davano una bastonata in testa. Questo per lui era perfettamente logico, come tutte le altre vicende della sua vita.

Il mondo era per lui un insieme di colori verdi e gialli, di rumori e di urli, di voglia di mangiare e di dormire. Un buon mondo, pieno di cose buone, anche se non ci si capiva niente, anche se a tentare di capire si sentiva quella fitta in mezzo al cranio, quel volo d'anitre nel cervello, la bastonata che gli picchiava in testa.

Gli uomini del Biondo erano addetti alle azioni in città; vivevano nei primi boschi di pini sopra i sobborghi, in una zona tutta villette dove le famiglie borghesi venivano a villeggiare negli anni buoni. Visto che la zona era ormai in mano loro, i partigiani uscirono dalle grotte e dalle capanne e s'accamparono in qualche villetta di gerarchi, riempiendo di pidocchi i materassi e installando i mitragliatori sui comò. Nelle villette c'erano bottiglie, qualche provvista, dei grammofoni. Il Biondo era un ragazzo duro, spietato coi nemici, dispotico coi compagni, ma cercava, quando poteva, di far star bene i suoi uomini. Fecero un po' di feste, vennero su delle ragazze.

Natale era contento in mezzo a loro. Ormai non portava più né cerotti né bende; della ferita gli restava solo una grossa ecchimosi in mezzo ai capelli ispidi, uno sbalordimento che gli sembrava fosse non in lui ma in tutte le cose. I compagni gli facevano ogni sorta di scherzi ma lui non s'arrabbiava, urlava improperi in quel suo dialetto incomprensibile ed era soddisfatto. Oppure si metteva a far la lotta con qualcuno, anche col Biondo: le pigliava sempre ma era contento lo stesso.

Una sera i compagni decisero di fargli uno scherzo: mandarlo assieme a una delle ragazze e vedere cosa sarebbe successo. Di ragazze fu scelta la Margherita, una grassotta fatta di carne soffice, bianca e rossa, che si prestò al gioco. Cominciarono a lavorarsi Natale, a mettergli quella pulce nell'orecchio, che Margherita s'era innamorata di lui. Ma Natale era guardingo; non si trovava nel suo. Si misero a bere tutti insieme e lei gli fu messa vicino, per aizzarlo. Natale a vedersi far gli occhi dolci, a sentirsi premere con la gamba sotto il tavolo, si smarriva sempre più. Li lasciarono soli e si misero a spiare dietro la porta. Lui rideva, imbambolato. Quella s'azzardò un po' a provocarlo. Allora Natale s'accorse che lei rideva falso; batteva gli occhi. Dimenticò la bastonata, le anatre, l'ecchimosi: l'afferrò e la buttò sul letto. Capiva tutto perfettamente adesso: capiva quel che voleva la donna sotto di lui, bianca e rossa e soffice, capiva che non era un gioco, capiva perché non era un gioco, ma una cosa loro, di lui e di lei, come mangiare e bere.

A un tratto gli occhi della donna, già lucidi, si fecero, a un battere di palpebre, ostinati, irati, le sue braccia gli resistevano, lei si divincolava di sotto, gridava: «Aiuto, mi prende». Vennero gli altri, sghignazzando, urlando, gli gettarono dell'acqua addosso. Allora fu tutto come prima, quel dolore colorato fino in fondo al cranio; Margherita, che si ricomponeva la veste sul petto, e sbottava in risate forzate, Margherita che quando aveva già lo sguardo lucido e la bocca umida s'era messa a gridare e chiamare gli altri, non si capiva perché. E Natale, con tutti i compagni intorno che si arrotolavano sui letti dal ridere e sparavano in aria, scoppiò a piangere come un bambino.

I tedeschi si svegliarono tutto in una volta, un mattino: arrivarono su camion carichi e batterono la zona cespuglio per cespuglio. Il Biondo, svegliato dagli spari, non fece in tempo a scappare e fu steso da una raffica in mezzo al prato. Natale si salvò accoccolato in un cespuglio, ficcando la testa in terra ad ogni fischiare di pallottola. Dopo la morte del

Biondo, la banda si sfasciò: chi morì, chi fu preso, chi tradì e passò coi neri, chi continuò a girare per la zona fra un rastrellamento e l'altro, chi salì con le brigate in montagna.

Natale fu tra questi ultimi. In montagna la vita era più dura: a Natale toccava camminare da una valle all'altra, carico come un mulo, fare i turni di guardia e di corvé; era come da militare, cento volte peggio e cento volte meglio. E i compagni che ridevano di lui e lo canzonavano erano come i compagni che ridevano e lo canzonavano da militare, ma anche qualcosa di diverso, che si sarebbe di certo capito a non averci quello starnazzare d'anitre nel cranio.

Riuscì a capire tutto nel momento in cui si trovò coi tedeschi sotto di lui che salivano sullo stradone alla Goletta e rafficavano con gli «sputafuoco» su per i cespugli. Allora, steso per terra, si mise a sparare moschettate una dietro all'altra e capiva perché lo faceva. Capiva che quegli uomini là in basso erano i militi che l'avevano arrestato perché non aveva le carte in regola, erano i sorveglianti della Todt che gli marcavano le ore, erano il tenente di picchetto che gli faceva spazzare le latrine, erano tutte queste cose insieme ma erano anche il padrone che lo faceva zappare tutta la settimana prima d'andare soldato, erano i giovanotti che l'avevano fatto inciampare sul marciapiede la volta che era andato in città per la fiera, erano pure suo padre, la volta che gli aveva dato un manrovescio. Ed erano pure Margherita, Margherita che già era lì lì per venire con lui e poi s'era rivoltata, non proprio

Margherita ma quel qualcosa che aveva fatto rivoltare Margherita: questo era un pensiero difficile ancora più degli altri, ma lui in quel momento capiva. Poi pensò al perché quegli uomini lì sotto sparavano contro di lui, gli urlavano contro, cascavano sotto i suoi spari. E capì che erano uomini come lui da bambini presi a manrovesci dai padri, messi a zappare dai padroni, canzonati dai tenenti, e ora se la pigliavano con lui; matti erano a pigliarsela con lui che non c'entrava, per questo lui sparava, ma se fossero stati tutti con lui non avrebbe sparato a loro ma agli altri, non sapeva bene a chi, e Margherita sarebbe venuta con lui. Ma come facessero i nemici a essere questi e quegli altri, buoni e cattivi, come lui e contro di lui; perché lui fosse di qui, nel giusto, loro di là, nello sbagliato: questo Natale non lo capiva: era il volo d'anatre; questo era, nient'altro.

Quando mancavano pochi giorni alla fine della guerra, gli inglesi si decisero a fare dei lanci. I partigiani passarono in Piemonte, marciando per due giorni e accesero i fuochi, la notte in mezzo ai prati. Gli inglesi buttarono dei cappotti coi bottoni d'oro, ma ormai era primavera, e dei fasci di fucilacci italiani della prima guerra d'Africa. I partigiani li presero e si misero a fare fantasia intorno ai fuochi come tanti negri. Natale danzava e urlava in mezzo a loro, contento.

Amore lontano da casa

Alle volte un treno va via sulla riva ferrata del mare e su quel treno ci sono io che parto. Perché io non voglio restare al mio paese pieno di sonno e d'orti, decifrare le targhe delle macchine forestiere come il ragazzo montanaro seduto sulla spalletta del ponte. Io vado, ciao paese.

Nel mondo, oltre al mio paese, ci sono altre città, alcune sul mare altre non si sa perché smarrite in fondo alle pianure, in riva ai treni che giungono non si sa come, dopo giri trafelati per campagne e campagne. Ogni tanto io scendo in una di queste città e ho sempre un'aria da viaggiatore novellino, con le tasche gonfie di giornali e gli occhi irritati da bruscoli.

La notte spengo la luce dentro il letto nuovo e sto a sentire i tram, poi penso a camera mia del mio paese, lontanissima nella notte, pare impossibile che nello stesso momento esistano due luoghi così lontani. E, non so bene dove, m'addormento.

Al mattino, fuori della finestra c'è tutto da scoprire, se è Genova vie che scendono e salgono e case a valle e a monte e correre di vento dall'una all'altra, se è Torino vie diritte senza fine, a sporgersi dalla ringhiera dei poggioli, con una doppia fila d'alberi che sfuma laggiù nei cieli bianchi, se è Milano case che si voltano la schiena nei prati di nebbia. Altre città ci devon essere e altre cose da scoprire: un giorno andrò a vederci.

La camera però è sempre la stessa in ogni città, pare che se la mandino di città in città le «madame» appena sanno che io arrivo. Anche i miei arnesi da barba sul marmo del comò sembra li abbia trovati così arrivando, non che ce li abbia messi io, con quella loro aria inevitabile e così poco mia. Anni posso abitare in una camera dopo altri anni in altre camere del tutto uguali, senza riuscire a sentirla come mia, a darle la mia impronta. È che la valigia è sempre pronta per ripartire, e nessuna città d'Italia è la buona, e in nessuna città si trova lavoro, e in nessuna città il trovar lavoro accontenta perché c'è sempre un'altra città migliore dove si spera d'andare a lavorare un giorno. Così la roba è sempre nei cassetti come l'ho tolta dalla valigia, pronta per esserci rimessa.

Passano i giorni e le settimane e nella stanza comincia a arrivarci una ragazza. Potrei dire che è sempre la stessa ragazza perché dapprincipio una ragazza è lo stesso di un'altra, una persona estranea, con cui si comunica attraverso un formulario obbligatorio. Bisogna passare un po' di tempo e fare molte cose con questa ragazza, per arrivare tutt'insieme a capirne la spiegazione; e allora comincia la stagione delle enormi scoperte, la vera e forse sola stagione entusiasmante dell'amore. Poi passando ancora altro tempo e facendo ancora molte cose con questa ragazza, ci si accorge che anche le altre erano così, che anch'io sono così, che tutti siamo così, e ogni suo gesto annoia come ripetuto da migliaia di specchi. Ciao, ragazza.

La prima volta che viene a trovarmi una ragazza, mettiamo Mariamirella, io tutto il pomeriggio combino poco: vado avanti a leggere un libro e poi m'accorgo che ho traversato venti pagine guardando le lettere come figure; scrivo e invece faccio disegnini sul bianco del foglio e tutti i disegnini insieme diventano il disegno d'un elefante, all'elefante faccio le ombreggiature e alla fine diventa un mammuth. Allora m'arrabbio per questo mammuth e lo strappo: possibile che ogni volta, così bambino, un mammuth.

Strappo il mammuth, suona il campanello: Mariamirella. Io devo correre ad aprire prima che la madama s'affacci dall'inferriata del cesso e gridi; Mariamirella fuggirebbe spaventata.

La madama morirà un giorno strangolata dai ladri: è scritto, non ci si può far nulla. Lei crede d'evitarlo non andando ad aprire quando suonano, e chiedendo: – *Chi l'è c'al ciama?* – dall'inferriata del cesso, ma è una precauzione inutile, già i tipografi hanno composto il titolo – L'affittacamere Adelaide Braghetti strangolata da ignoti – e aspettano la conferma per impaginare.

Mariamirella è lì nella mezzaluce, con un cappelluccio marinaio a pompon e la bocca a cuore. Apro e lei s'è già preparato tutto un discorso da fare appena entrata, un discorso qualsiasi, perché bisogna discorrere molto fitto intanto che io la guido attraverso il corridoio buio fino in camera mia.

Dovrebbe essere un discorso lungo, per non rimanere in mezzo a camera mia senza saper più cosa dire. La stanza è senz'appiglio, disperata nel suo squallore: la spalliera di ferro del letto, i titoli di libri sconosciuti nel piccolo scaffale.

– Vieni a vedere dalla finestra, Mariamirella.

La finestra è un finestrone con la ringhiera a petto senza balcone, alto su due gradini e ci sembra di salire e salire. Fuori, il mare rossiccio delle tegole. Guardiamo i tetti a perdita d'occhio intorno a noi, i tozzi comignoli che a un momento sbottano in baffi di fumo, le assurde balaustre su cornicioni dove nessuno può affacciarsi, i muriccioli dei recinti vuoti, in cima alle case sinistrate. Le ho posato una mano sulla spalla, una mano quasi gonfia che non sento come mia, come se ci toccassimo attraverso uno strato d'acqua.

– Hai visto abbastanza?

– Abbastanza.

– Giù.

Si scende e chiude. Siamo sott'acqua, brancoliamo con sensazioni informi. Per la stanza gira il mammuth, paura antica umana.

– Dì.

Le ho tolto il cappelluccio marinaio e l'ho fatto volare sul letto.

– No. Tanto ora vado via.

Se lo rimette in testa, io lo prendo e lo butto per aria, al volo, ora ci rincorriamo, giochiamo a denti stretti, l'amore, ecco l'amore uno dell'altra, una voglia di graffi e morsi uno dell'altra, pugni anche, sulle spalle, poi un bacio stanchissimo: l'amore.

Ora fumiamo seduti faccia a faccia: le sigarette sono enormi tra le nostre dita, come oggetti tenuti sott'acqua, grandi àncore affondate. Perché non siamo felici?

– Cos'hai? – fece Mariamirella.

– Il mammuth, – dico.

– Cos'è? – fa.

– Un simbolo, – dico.

– Di cosa? – dice.

– Non si sa di cosa, – dico. – Un simbolo.

– Vedi, – dico, – una sera sedevo sulla riva d'un fiume con una ragazza.

– Come si chiamava?

– Il fiume si chiamava Po, e la ragazza Enrica. Perché?

– Niente: mi piace sapere con chi sei andato prima.

– Ben, noi sedevamo sulla riva erbosa del fiume. Era autunno, di sera, già le rive erano buie e sul fiume scendeva l'ombra di due uomini in piedi che remavano. Nella città cominciavano le luci e noi sedevamo sulla riva al di là del fiume, e in noi c'era quello che si dice l'amore, quel ruvido scoprirsi e cercarsi, quell'aspro sapore uno dell'altro, tu sai, l'amore. E in me c'era tristezza e solitudine, quella sera in riva alle nere ombre dei fiumi, tristezza e solitudine dei nuovi amori, tristezza e nostalgia degli amori antichi, tristezza e disperazione degli amori futuri. Don Giovanni, triste eroe, antica condanna, in lui tristezza e solitudine nient'altro.

– Anche con me, così? – dice Mariamirella.

– E se parlassi un po' tu, adesso, se dicessi un po' tu quello che sai?

Mi son messo a gridare con rabbia; alle volte parlando senti come l'eco, e t'infurî.

– Cosa vuoi che di queste cose io, voi uomini, non riesco a capire.

È così: le donne non hanno avuto che notizie false sull'amore. Molte notizie diverse, tutte false. E inesatte esperienze. Eppure, sempre fiducia nelle notizie, non nelle esperienze. Per questo hanno tante cose false in testa.

– Io vorrei, vedi, noi ragazze, – dice. – Gli uomini: cose lette, cose dette tra noi all'orecchio fin da bambine. S'impara che *quello* è più importante di tutto, lo scopo di tutto. Poi, vedi, io m'accorgo che non s'arriva mai a *quello*, veramente a *quello*. Non è più importante di tutto. Io vorrei che non ci fosse niente di tutto ciò, che si potesse non pensarci. E invece sempre si aspetta. Forse bisognerebbe diventare madri per raggiungere il senso vero di tutto. O prostitute.

Ecco: è meraviglioso. Tutti abbiamo la nostra spiegazione segreta. Basta scoprire la sua spiegazione segreta e lei non è più un'estranea. Stiamo accucciati vicini come grandi cani, o divinità fluviali.

– Vedi, – dice Mariamirella, – forse io ho paura di te. Ma non so dove rifugiarmi. L'orizzonte è deserto, non ci sei che tu. Tu sei l'orso e la grotta. Perciò io sto ora accucciata tra le tue braccia, perché tu mi protegga dalla paura di te.

Pure, per le donne è più facile. La vita corre in loro, grande fiume, in loro, le continuatrici, c'è la natura sicura e misteriosa, in loro. C'era il Grande Matriarcato, una volta, la storia dei popoli fluiva come quella delle piante. Poi, l'orgoglio dei fuchi: una rivolta, ecco la civiltà. Lo penso, e non ci credo.

– Una volta non riuscii a essere uomo con una ragazza, sul prato di un monte, – dico. – Il monte si chiamava Bignone e la ragazza Angela Pia. Un grande prato, tra i cespugli, ricordo, e su ogni foglia un grillo che saltava. Quel cantare di grilli, altissimo, senza riparo. Lei non comprese bene perché io m'alzassi allora e dicessi che l'ultima funivia stava per partire. Perché s'andava in funivia, a quel monte: e superando i piloni si sentiva farsi un vuoto dentro e lei disse: «Mi sembra quando tu mi baci». Questo, ricordo, mi fu molto di sollievo.

– Non devi dirmi queste cose, – dice Mariamirella. – Non ci sarebbe più né l'orso né la grotta. E pure intorno a me non resterebbe che paura.

– Vedi. Mariamirella –, dico, – noi non dobbiamo separare le cose dai pensieri. La maledizione della nostra generazione è stata questa: non poter fare quello che pensava. Oppure non poter pensare quello che faceva. Ecco: per esempio, tanti anni fa (m'ero corretto la carta d'identità perché non avevo ancora l'età prescritta), andai con una donna in una casa di tolleranza. La casa di tolleranza si chiamava Via Calandra 15 e la donna Derna.

– Come?

– Derna. A quel tempo c'era l'impero e l'unica cosa nuova era che le donne delle case si chiamavano Derna, Adua, Harrar, Dessiè.

– Dessiè?

– Anche Dessiè, credo. Vuoi che ti chiami Dessiè, d'ora in avanti?

– No.

– Ben, per tornare a quella volta, con quella Derna. Io ero giovane e lei grande e pelosa. Sono scappato. Pagai quello che c'era da pagare e scappai: mi sembrava che alla tromba delle scale fossero tutte affacciate e mi ridessero dietro. Ben, questo è niente: è che appena a casa quella donna divenne una cosa pensata e allora non mi fece più paura. Mi prese un desiderio di lei, un desiderio di lei da morire... Questo è: che per noi le cose pensate sono diverse dalle cose.

– Ecco, – dice Mariamirella, – io ho già pensato tutte le cose possibili, ho vissuto centinaia di vite col pensiero. Di sposarmi, di avere tanti figlioli, di abortire, di sposare un ricco, di sposare un povero, di diventare una donna di lusso, di diventare una donna di strada, ballerina, monaca, venditrice di caldarroste, diva, deputatessa, crocerossina, campionessa. Tante vite con tutti i particolari. E tutte che finivano felici. Ma nella vita vera non succede mai nulla di quelle cose pensate. Così ogni volta che mi capita di fantasticare, mi spavento e cerco di scacciare i pensieri, perché se sogno una cosa non avverrà mai.

È una cara ragazza. Mariamirella; cara ragazza vuol dire che capisce le cose difficili che dico e le fa diventare subito facili. Vorrei darle un bacio, ma poi penso che baciandola penserei di baciare il pensiero di lei, lei penserebbe di essere baciata dal pensiero di me, e non ne faccio nulla.

– Bisogna che la nostra generazione riconquisti le cose, Mariamirella, – dico. – Che pensiamo e facciamo nello stesso momento. Non che facciamo senza pensare, però. Bisogna che tra le cose pensate e le cose non ci sia più differenza. Allora saremo felici.

– Perché è così? – mi chiede.

– Vedi, non per tutti è così, – dico. – Io da bambino vivevo in una grande villa, tra balaustre alte come voli sul mare. E io passavo i giorni dietro a queste balaustre, bambino solitario, e ogni cosa per me era uno strano simbolo, gli intervalli dei datteri appesi ai ciuffi dei gambi, le braccia deformi dei cereus, strani segni nella ghiaia dei viali. Poi c'erano i grandi, che avevano il compito di trattare con le cose, con le vere cose. Io non dovevo far altro che scoprire nuovi simboli, nuovi significati. Così sono rimasto tutta la vita, mi muovo ancora in un castello di significati, non di cose, dipendo sempre dagli altri, dai «grandi», da quelli che manovrano le cose. Invece c'è chi fin da bambino ha lavorato a un tornio. A un arnese per fare delle cose. Che non può avere un significato diverso dalle cose che fa. Io quando vedo una macchina la guardo come se fosse un castello magico, immagino omìni piccolissimi che girano tra le ruote dentate. Un tornio. Chissà cos'è un tornio. Sai cos'è un tornio, Mariamirella?

– Un tornio, non so bene, adesso, – dice.

– Dev'essere importantissimo, un tornio. Dovrebbero insegnare a tutti a usare un tornio, invece d'insegnare a usare un fucile, che è sempre un oggetto simbolico, senza un vero scopo.

– A me non interessa, un tornio, – dice.

– Vedi, per te è più facile: hai macchine da cucire per salvarti, aghi, che so io, fornelli a gas, anche macchine da scrivere. Tu hai pochi miti di cui ti devi liberare; per me tutte le cose sono simboli. Ma questo è certo: dobbiamo riconquistare le cose.

La vado accarezzando, pian piano.

– Dì, sono una cosa, io? – dice.

– Ugh, – dico.

Ho scoperto una piccola fossetta su una spalla, sopra l'ascella, soffice, senza ossa sotto, del tipo di fossette delle guance. Parlo con le labbra sulla fossetta.

– Spalla come guancia, – dico. Non si capisce niente.

– Come? – chiede. Ma non le importa nulla di quel che dico.

– Corsa come giugno, – dico, sempre nella fossetta. Lei non capisce quello che faccio ma ne è contenta e ride. È una cara ragazza.

– Mare come arrivo, – dico, poi tolgo la bocca dalla fossetta e ci poso l'orecchio per sentire l'eco. Non si sente che il suo respiro e, lontano e sepolto, il cuore.

– Cuore come treno, – dico.

Ecco: ora Mariamirella non è Mariamirella pensata più Mariamirella vera: è Mariamirella! E quello che facciamo adesso non è una cosa pensata più una cosa vera: il volo sopra i tetti, e la casa che svetta come le palme alla finestra di casa mia al paese, un grande vento ha preso il nostro ultimo piano e lo trasporta per i cieli e le fughe rossicce delle tegole.

Sulla riva del mio paese, il mare s'è accorto di me e fa le feste come un grande cane. Il mare, gigantesco amico, dalle piccole mani bianche che raspano la ghiaia, ecco che scavalca i contrafforti dei moli, impenna la bianca pancia e salta i monti, eccolo che arriva festoso come un immenso cane dalle zampe bianche di risucchio. Tacciono i grilli, tutte le pianure sono invase, campi e vigneti, ora solo un contadino alza il tridente e grida: ecco il mare sparisce come bevuto dalla terra. Ciao, mare.

Uscendo, Mariamirella ed io ci mettiamo a correre giù per le scale a perdifiato, prima che la madama s'affacci all'inferriata e cerchi di capire tutto guardandoci in faccia.

Vento in una città

Qualcosa, ma non capivo cosa. Un camminare di gente per le vie piane come salissero o scendessero, un muoversi di labbra e di narici come branchie di pesci, poi case e porte che fuggivano e gli angoli delle vie più acuti. Il vento, era: dopo me ne accorsi.

Torino è una città senza vento. Le vie sono canali d'aria ferma che si perdono all'infinito come urli di sirena: d'aria ferma, vetrosa di gelo o soffice d'afa, mossa solo dai tram rasenti i giri. Per mesi dimentico che il vento esiste; solo me ne resta un indistinto bisogno.

Ma basta che un giorno una folata s'alzi dal fondo d'un viale e mi venga incontro, e io ricordo il mio paese seminato dal vento in riva al mare, con case una a monte l'altra a valle, e in mezzo il vento che scende e sale, e vie a gradini e a ciottoli, e squarci di cielo azzurro e ventoso sopra i vicoli. E casa mia con le persiane che sbattono, le palme che gemono alle finestre, e la voce di mio padre che grida in cima alla collina.

Così sono io, uomo da vento, che ha bisogno camminando di attriti e di abbrivi, parlando di mettersi tutt'a un tratto a gridare mordendo l'aria.

Quando il vento nasce nella città e si propaga di quartiere in quartiere in lingue d'un incendio incolore, la città s'apre ai miei occhi come un libro, mi sembra di riconoscere tutti i passanti, vorrei gridare «ehi!» alle ragazze, ai ciclisti, mettermi a pensare ad alta voce gesticolando.

Non so stare in casa, allora. Abito in una stanza d'affitto a un quinto piano; sotto la mia finestra beccheggiano i tram giorno e notte nella via stretta, come sferrati attraverso la stanza; a notte i tram lontani gettano gridi come di gufo. La figlia della padrona è una impiegata grassa e isterica: un giorno ruppe un piatto di piselli nel corridoio e si chiuse in camera gridando.

Il cesso dà sul cortile; è in fondo a un corridoio stretto, quasi una grotta, con le pareti verdi di muffa, umide: forse ci si formeranno delle stalattiti. Fuori dell'inferriata il cortile è uno di quei cortili torinesi imprigionati da una pàtina di logoro, con le ringhiere di ferro ai ballatoi su cui non ci si può appoggiare senza sporcarsi di ruggine. I gabbioni dei cessi uno sopra l'altro formano come una torre: cessi con i muri soffici di muffa, paludosi sul fondo.

E io penso a casa mia alta sul mare tra le palme, casa mia così diversa da tutte le altre case. E la diversità che per prima mi ritorna al ricordo è il numero dei cessi che aveva, cessi di tutte le fogge: in stanze da bagno luccicanti di mattonelle bianche, in sgabuzzini semibui, cessi alla turca, antichi *water-closet* con la tazza istoriata di fregi azzurri.

Così pensando andavo per la città fiutando il

vento. Ed ecco che incontro una ragazza che conosco: Ada Ida.

– Sono allegro: il vento! – le dico.

– A me dà ai nervi, – risponde. – Accompagnami un pezzo: fin là.

Ada Ida è una di quelle ragazze che t'incontrano e subito cominciano a raccontarti della loro vita, dei loro pensieri, anche se ti conoscono appena: ragazze senza segreti per gli altri, che non siano segreti anche per loro; e trovano parole anche per questi segreti, parole di tutti i giorni, germogliate senza sforzo, come se i loro pensieri nascessero già intessuti completamente di parole.

– A me il vento dà ai nervi, – dice. – Mi chiudo in casa e getto via le scarpe e giro scalza per le stanze. Poi prendo una bottiglia di whisky che m'ha regalato un americano e bevo. Non sono mai riuscita a ubriacarmi da sola. A un certo punto mi metto a piangere e smetto. È una settimana che giro e non riesco a trovar impiego.

Io non so come faccia. Ada Ida, come facciano tutti gli altri, donne e uomini, che riescono ad aver confidenza con tutti, che trovan qualcosa da dire a tutti, che entrano nei fatti degli altri e fanno entrare gli altri nei loro. Dico: – Io sto in una stanza al quinto piano con tram la notte come gufi. Il cesso è verde di muffa, con muschi e stalattiti, e una nebbia d'inverno come sopra le paludi. Io credo che il carattere della gente derivi anche dal cesso in cui son costretti a chiudersi ogni giorno. Si torna a casa dall'ufficio e si trova il cesso verde di muffa, paludoso: allora si rompe un piatto di piselli nel corridoio e ci si chiude in camera gridando.

Non è chiaro quello che ho detto, non è proprio come avevo pensato, certo Ada Ida non capirà, ma a me i pensieri per convertirsi in parole pronunciate devono attraversare un'intercapedine vuota e ne escono falsati.

– Io faccio pulizia ogni giorno nel gabinetto più che in tutta la casa, – dice lei, – lavo il pavimento; lustro ogni cosa. Al finestrino metto ogni settimana una tendina, pulita, bianca coi ricami, e ogni anno faccio riverniciare i muri. Mi sembra che se un giorno dovessi smettere di farci pulizia, sarebbe un brutto segno, e mi lascerei andare giù giù fino alla disperazione. È un piccolo gabinetto oscuro, quello di casa mia, ma lo tengo come una chiesa. Chissà quello del padrone della Fiat come sarà. Vieni, accompagnami un pezzo, fino al tram.

Il meraviglioso di Ada Ida è che accetta ogni cosa che dici, non si stupisce di nulla, ogni discorso che incominci lo continua come fosse stata lei a suggerirtelo. E vuole che la accompagni fino al tram.

– Ben, ti accompagno, – dico. – Dunque, il padrone della Fiat s'era fatto costruire per cesso un salone con colonne e tendaggi e tappeti, ed acquari nelle pareti. E grandi specchiere tutt'intorno che riflettevano mille volte la sua figura. E il comodo era con braccioli e spalliera, alto come un trono; anche il baldacchino, aveva. E la catena per l'acqua faceva suonare un carillon dolcissimo. Ma il padrone della Fiat non poteva andare di corpo. Si trova-

66

va in soggezione in mezzo a quei tappeti e a quegli acquari. Le specchiere riflettevano mille volte la sua figura mentre stava seduto sul comodo alto come un trono. E il padrone della Fiat rimpiangeva il cesso della sua casa di bambino, con la segatura in terra e i pezzi di giornale infilzati a un chiodo. Così morì: per infezione intestinale dopo mesi che non andava di corpo.

– Così morì, – acconsente Ada Ida. – Proprio così morì. Ne sai altre di storie come questa? Ecco il mio tram. Sali con me in tram e raccontamene un'altra.

– In tram e poi dove altro?

– In tram. Ti rincresce?

Saliamo in tram. – Storie non posso raccontartene, – dico, – perché ho l'intercapedine. C'è un precipizio vuoto tra me e tutti gli altri. Ci muovo le braccia dentro ma non afferro niente, getto dei gridi ma nessuno li sente: è il vuoto assoluto.

– In quei casi io canto, – dice Ada Ida, – canto mentalmente. Quando a un certo punto parlando con qualcuno m'accorgo che non so più andare avanti, come se fossi giunta in riva a un fiume, che i pensieri fuggono a nascondersi, mi metto a cantare mentalmente le ultime parole dette o sentite, su un motivo qualsiasi. E le altre parole che mi vengono in mente, sempre su quel motivo, sono le parole dei miei pensieri. E così le dico.

– Fa un po'.

– E così le dico. Come una volta che uno mi abbordò per strada credendomi una di quelle.

– Ma tu non canti.

67

– Canto mentalmente, poi traduco. Se no non capiresti. Anche quella volta con quell'uomo. Finii per raccontargli che da tre anni non mangiavo caramelle. Me ne comprò un sacchetto. Allora non sapevo più davvero cosa dirgli. Balbettai qualcosa e scappai via col sacchetto.

– Io invece non riuscirò mai a dire nulla, parlando, – dico, – è per questo che scrivo.

– Fa come i mendicanti, – mi dice Ada Ida, indicandone uno, a una fermata.

Torino è piena di mendicanti come una città santa indiana. Anche i mendicanti hanno le loro mode, nel chiedere l'elemosina: comincia uno e poi tutti lo copiano. Da un po' di tempo è usanza di molti mendicanti scrivere sul selciato la loro storia a caratteri cubitali, con dei pezzi di gesso colorato: è un buon sistema perché la gente s'incuriosisce a leggere e poi è impegnata a gettare qualche lira.

– Sì, – dico, – forse bisognerebbe che anch'io scrivessi la mia storia col gesso sul marciapiede e mi sedessi vicino a sentire la gente cosa dice. Almeno ci si guarderà un po' in faccia. Ma forse nessuno baderà e la cancelleranno calpestandola.

– Che cosa scriveresti tu, su un marciapiede, se fossi un mendicante? – domanda Ada Ida.

– Scriverei, tutto in stampatello: *Io sono uno di quelli che scrivono perché non ce la fanno a parlare; scusatemi, cittadini. Una volta un giornale ha pubblicato una cosa che avevo scritto. È un giornale che esce alla mattina presto; lo comprano per lo più gli operai andando a lavorare. Quel mattino sono salito per tempo sui tram e ho visto gente che leggeva le cose che avevo scritto, e guardavo le loro facce cercando di capire su quale riga erano posati i loro occhi. In ogni scritto c'è sempre un punto di cui poi ci si pente, o per paura d'esser fraintesi, o per vergogna. E sui tram quel mattino andavo spiando la faccia degli uomini finché non giungevano a quel punto, e allora avrei voluto dire: «Guardate, forse non mi son spiegato bene, è questo che intendevo», ma continuavo a star zitto ed arrossivo.*

Intanto siamo scesi a una fermata e Ada Ida aspetta che arrivi un altro tram. Io non so più che tram devo prendere e aspetto con lei.

– Io scriverei così, – dice Ada Ida, – con dei gessetti azzurri e gialli: *Signori, ci sono persone per cui il più grande godimento è farsi orinare addosso. D'Annunzio era uno di questi, dicono. Io ci credo. A questo voi dovreste pensare ogni giorno, e pensare che siamo tutti la stessa razza, e darvi meno arie. Poi questo: a mia zia nacque un figlio col corpo di gatto. Dovreste pensare che succedono cose come queste, non dimenticatevene mai. E che a Torino ci sono uomini che dormono sui marciapiedi, sopra le grate delle cantine calde. Io li ho visti. A tutte queste cose dovreste pensare, ogni sera, invece di dire le preghiere. E tenerle ben presenti durante il giorno. Avrete meno schemi in testa e meno ipocrisie.* Così scriverei. Accompagnami anche su questo tram, sii buono.

Continuavo a prendere tram con Ada Ida, chissà perché. Il tram andava per un lungo corso dei quartieri poveri. La gente sul tram era grigia e rugosa, tutta impastata come della medesima polvere.

Ada Ida ha la mania di fare le osservazioni: – E

guarda che tic nervoso ha quell'uomo. E guarda come s'è data la cipria quella vecchia.

A me faceva pena tutto e volevo che smettesse. – E ben? E ben? – dicevo. – Tutto ciò che è reale è razionale –. Ma non ero convinto fino in fondo.

Anch'io sono reale e razionale, pensavo, io che non accetto, io che costruisco schemi, io che farò cambiare tutto. Ma per far cambiare tutto bisogna partire di lì, dall'uomo col tic nervoso, dalla vecchia con la cipria, non dagli schemi. Anche da Ada Ida che continua a dire: – Accompagnami fin lì.

– Siamo arrivati, – dice Ada Ida, e scendiamo.
– Accompagnami fin lì, ti rincresce?

– Tutto ciò che è reale è razionale, Ada Ida, – le dico. – Altri tram da prendere?

– No, abito girata quella strada.

Eravamo alla fine della città. Castelli di ferro s'alzavano dietro i muri delle fabbriche; il vento agitava brandelli di fumo ai parafulmini delle ciminiere. E c'era un fiume rimboccato d'erba: la Dora.

Io mi ricordavo d'una notte di vento, anni fa, lungo la Dora, in cui camminavo mordendo una guancia a una ragazza. Aveva i capelli lunghi e finissimi che ogni tanto mi finivano tra i denti.

– Una volta, – dico, – mordevo una guancia a una ragazza, qui, nel vento. E sputavo capelli. È una storia bellissima.

– Ecco, – dice Ada Ida, – sono arrivata.

– È una storia bellissima, – dico, – lunga da raccontare.

– Io sono arrivata, – dice Ada Ida. – Lui dev'essere già in casa.

– Lui chi?

– Sono con uno che lavora alla Riv. Ha la mania della pesca. M'ha riempito la casa di lenze, di mosche artificiali.

– Tutto ciò che è reale è razionale, – dico. – Era una storia bellissima. Dimmi che tram devo prendere per tornare.

– Il ventidue, il diciassette, il sedici, – dice. – Ogni domenica andiamo sul Sangone. L'altro, ieri, una trota così.

– Stai cantando mentalmente?

– No. Perché?

– Chiedevo. Ventidue, ventisette, tredici?

– Ventidue, diciassette, sedici. Il pesce vuol friggerselo da sé. Ecco, sento l'odore. È lui che frigge.

– E l'olio? Vi basta quello della tessera? Ventisei, diciassette, sedici.

– Facciamo degli scambi con un amico. Ventidue, diciassette.

– Ventidue, diciassette, undici?

– No: otto, quindici, quarantuno.

– Giusto: dimentico sempre. Tutto è razionale. Ciao. Ada Ida.

A casa arrivo dopo un'ora di strada nel vento, sbagliando tutti i tram e discutendo a numeri con i tramvieri. Torno e trovo piselli e cocci di piatto per il corridoio, l'impiegata grassa s'è chiusa a chiave nella sua stanza, e grida.

Il reggimento smarrito

Un reggimento d'un potente esercito doveva sfilare per le vie della città. Dalle prime luci dell'alba le truppe erano schierate nel cortile della caserma in formazione di parata.

Il sole si faceva già alto in cielo e le ombre s'accorciavano al piede degli smilzi alberelli del cortile. Sotto gli elmi verniciati di fresco, i soldati e gli ufficiali stillavano sudore. Il colonnello, dall'alto del suo cavallo bianco, fece un segno: rullarono i tamburi, tutta la fanfara incominciò a suonare e il cancello della caserma lentamente girò sui propri cardini.

Fuori s'aperse la vista della città, sotto un cielo celeste attraversato da morbide nuvole, la città coi camini che perdevano baffi di fumo, i terrazzi con le corde irte di pinze per stendere la roba, i riflessi dei raggi di sole che battevano sugli specchi dei comò, le tende cacciamosche che s'impigliano agli orecchini delle madame con la sporta, un carretto di gelataio con l'ombrello e la scatola di vetro per i coni, e raso terra un aquilone con le code di carta rossa inanellata che correva trascinato dai bambini per un lungo spago e a poco a poco andava su nell'aria e si drizzava contro le morbide nuvole del cielo.

Il reggimento aveva cominciato ad avanzare al ritmo dei tamburi, con gran battere di suole sul selciato e scarriolare d'artiglierie; ma, a vedersi davanti quella città tranquilla, cordiale, intenta ai fatti suoi, ognuno dei militari si sentì come indiscreto, importuno, e la parata saltò agli occhi di tutti come una cosa fuor di luogo, stonata, una cosa che si poteva proprio farne a meno.

Un tamburino, tale Prè Gio Batta, finse di continuare il rullo incominciato e invece sfiorò appena la pelle del tamburo. Ne venne fuori un sommesso ticchettio, ma non di lui soltanto: generale; perché nello stesso istante tutti gli altri tamburini avevano fatto come Prè. Le trombe, poi, fecero solo un solfeggio di sospiri, perché nessuno ci metteva fiato. I soldati e gli ufficiali, dando intorno sguardi di disagio, s'arrestarono con una gamba per aria e poi la riposarono pian piano, e ripresero la via in punta di piedi.

Così la lunghissima colonna, senza che fosse stato impartito nessun ordine, procedeva in punta di piedi con movimenti lenti e aggomitolati, e un frusciante, smorzato scalpiccio. Gli addetti ai pezzi, a trovarsi vicino quei cannoni così fuori di luogo, furono presi tutt'a un tratto da un senso di pudore: alcuni vollero ostentare indifferenza, camminare senza guardar mai dalla parte dei pezzi, come stessero passando di lì per puro caso; altri si tenevano accosti ai pezzi più che potevano, come per nasconderli, risparmiando alla gente quella vista così sgradevole e inurbana, o ci mettevano sopra coperte, mantelline, in modo da farli passare inosservati o almeno da non attirare l'attenzione; altri ancora prendevano verso i cannoni un atteggiamento d'affettuosa canzonatura, battevano manate sull'affusto, sulla culatta, se li indicavano con un mezzo sorriso: tutto per dimostrare che la loro intenzione non era di servirsene per scopi micidiali, ma solo portarli in giro come grotteschi arnesi, grossi e rari.

Quel confuso sentimento aveva raggiunto anche l'animo del colonnello Clelio Leontuomini, che istintivamente aveva abbassato la testa all'altezza di quella del cavallo. Il cavallo, da parte sua, aveva preso a muovere le gambe a pause, con la cautela delle bestie da tiro. Ma bastò un momento di riflessione perché il colonnello ed il cavallo riprendessero la loro andatura marziale. Leontuomini, resosi rapidamente conto della situazione, lanciò un ordine secco:

– Passo di parata!

I tamburi rullarono, poi presero a battere colpi cadenzati. Il reggimento s'era velocemente ricomposto e adesso procedeva pestando il terreno con aggressiva sicurezza.

– Ecco – si disse il colonnello guardando di sottecchi la sua schiera – è proprio un vero reggimento in marcia.

Sul marciapiede qualche passante si fermava a far ala alla parata, e guardava con l'aria di chi vorrebbe interessarsi e magari compiacersi di tanto spiegamento di energie, ma sente dentro di sé qualcosa che non capisce bene, un vago senso d'allarme, e ad ogni modo ha troppe cose serie per il capo per mettersi a pensare a sciabole e cannoni.

A sentirsi guardati, la truppa e gli ufficiali furono ripresi da quel lieve, inesplicabile turbamento. Continuarono a marciare impettiti a passo di parata, ma non sapevano togliersi dal cuore il dubbio di star recando torto a quei bravi cittadini. Il fante Marangon Remigio, per non essere distratto dalla presenza loro, teneva sempre gli occhi bassi: quando si marcia incolonnati le uniche preoccupazioni sono l'allineamento e il passo; per tutto il resto c'è il reparto che ci pensa. Ma come il fante Marangon facevano cento e cento altri soldati; anzi, si può dire che tutti loro, ufficiali, alfieri, colonnello, procedessero senz'alzare mai gli occhi da terra, seguendo fiduciosi la colonna. Così si vide il reggimento, a passo di parata, fanfara in testa, inclinare verso un lato della via, uscire dal terreno asfaltato, sconfinare in un'aiuola dei giardini pubblici e inoltrarsi deciso calpestando ranuncoli e lillà.

I giardinieri stavano innaffiando il prato e cosa vedono? Un reggimento che avanza a occhi chiusi su di loro, pestando colpi di suola sull'erbetta. Quei poveracci non sapevano più come tener le pompe, per non dirigere i getti d'acqua contro i militari. Finirono per tenerle verticali, ma i getti con un lungo zampillo ricadevano in direzioni insospettate; uno annaffiò da capo a piedi il colonnello Clelio Leontuomini che procedeva impettito a occhi chiusi pure lui.

Il colonnello a quella doccia trasalì e uscì in un grido:

«Alluvione! Alluvione! Mobilitatevi per i soccorsi!» Poi subito si raccapezzò e riprese il comando del reggimento per farlo uscire dai giardini pubblici.

Ma era rimasto un po' deluso. Quel grido «Alluvione! Alluvione!» aveva tradito una sua segreta, quasi inconscia speranza: che tutt'a un tratto succedesse un cataclisma naturale, senza vittime ma pericoloso, e mandasse all'aria la parata, e desse modo al reggimento di prodigarsi in opere utili alla popolazione: costruzione di ponti, salvataggi. Solo così gli sarebbe ritornata la coscienza a posto.

Uscito dal giardino pubblico, il reggimento si trovò in un'altra zona della città, non quella dei larghi viali dov'era stabilito che sfilasse, ma un quartiere di vie più piccole, raccolte e tortuose. Il colonnello decise che avrebbe tagliato per queste viuzze, per raggiungere la piazza senza altre perdite di tempo.

Un'insolita animazione regnava in quel quartiere. Gli elettricisti aggiustavano le lampade con lunghe scale-porta e alzavano e abbassavano i fili del telefono. I geometri del genio civile misuravano le vie con le paline ed i metri avvolgibili. I gasisti, armati di piccone, aprivano grosse buche nel selciato. I collegiali facevano la passeggiata in fila. I muratori si passavano i mattoni al volo gridando: «Hop! Hop!». I ciclisti, emettendo lunghi fischi, trasportavano scale a pioli sulle spalle. E a tutte le finestre delle case le fantesche, strizzando stracci bagnati in grossi secchi, pulivano i vetri ritte sopra i davanzali.

Così il reggimento doveva continuare la sfilata per quelle vie tortuose, facendosi largo in un groviglio di fili del telefono, metri a nastro, scale a pioli, buche nel selciato, scolaresche di ragazze pettorute, e prendendo al volo mattoni: «Hop! Hop! Hop!» scansando stracci bagnati e secchi che fantesche emozionate lasciavan piombare giù dal quarto piano.

Il colonnello Clelio Leontuomini dovette ammettere d'aver perso la strada. Si chinò da cavallo verso un passante e chiese:

– Scusi, sa la strada più breve per la piazza principale?

Il passante, un ometto con gli occhiali, stette un po' soprappensiero:

– È un giro complicato; ma se vi lasciate guidare da me vi porto attraverso un cortile in un'altra via, e risparmiate almeno un quarto d'ora.

– Potrà passare tutto il reggimento per questo cortile? – chiese il colonnello.

L'ometto diede un'occhiata e fece un gesto incerto:

– Mah! Si può provare – e li precedette in un portone.

Affacciate alle ringhiere rugginose dei ballatoi, tutte le famiglie di quel caseggiato si sporgevano a guardare in cortile il reggimento che cercava d'entrare con cavalli e artiglierie.

– Dov'è l'altro portone da cui s'esce? – chiese il colonnello a quell'ometto.

– Portone? – chiese l'ometto. – Forse non mi son spiegato bene. Bisogna salire fino all'ultimo piano, e di là si passa nella scala di un palazzo vicino, il cui portone appunto dà su quell'altra via.

Il colonnello voleva continuare a cavallo anche su per quelle strette scale, ma dopo due pianerottoli decise di lasciare il cavallo legato al passamano e continuare a piedi. Anche per i cannoni, decisero di lasciarli nel cortile, e un ciabattino s'impegnò a darci un'occhiata. I soldati venivano su in fila indiana e ad ogni pianerottolo s'apriva qualche porta e un bambino gridava:

– Mamma! Vieni a vedere. Passano i soldati! Sta sfilando il reggimento!

Al quinto piano, per passare da quella scala a un'altra secondaria che portava alle soffitte, dovettero fare un tratto di ballatoio. Ogni finestrone dava in qualche nuda stanza dai molti pagliericci, dove vivevano famiglie piene di bambini.

– Entrate, entrate – dicevano i babbi e le mamme ai militari. – Riposatevi un po', sarete stanchi! Passate di qui che la strada è più breve! Ma il fucile lasciatelo fuori; ci sono i bambini, capirete...

Così il reggimento si sfaldava per le strade, i corridoi. E in quella confusione, l'ometto che sapeva la strada non si riuscì più a trovarlo.

Venne la sera e ancora le compagnie e i plotoni continuavano a girare per scale e ballatoi. In cima al tetto, appollaiato sulla cimasa, stava il colonnello Leontuomini. Vedeva aprirsi sotto di sé la città spaziosa e limpida, con la scacchiera delle vie e la grande piazza vuota. Con lui, carponi sulle tegole, erano una squadra di soldati, armati di bandierine colorate, pistole a razzo, drappi a lampo di colore.

– Trasmettete – diceva il colonnello. – Presto, trasmettete: Zona impraticabile... Impossibilitati procedere... Attendiamo ordini...

Occhi nemici

Pietro andava quel mattino per via, quando avvertì un senso di fastidio. Già da un po' se lo sentiva addosso, senza rendersene ben conto: era il senso d'aver qualcuno alle spalle, qualcuno che lo stesse guardando, non visto.

Girò il capo di scatto; era in una via un po' appartata, con siepi ai cancelli e steccati di legno incrostati di laceri manifesti. Non passava quasi nessuno; Pietro fu subito contrariato d'aver ceduto a quello sciocco impulso di voltarsi; e proseguì, deciso a riprendere il filo interrotto dei suoi pensieri.

Era una mattina d'autunno con un po' di sole; c'era un'aria non consona a una particolare allegrezza, ma neppure a strette di cuore. Invece, suo malgrado, quel disagio continuava a pesargli addosso; alle volte pareva che gli si concentrasse sulla nuca, sulle spalle, come un occhio che non lo perdesse di vista, come l'avvicinarsi di una presenza in qualche modo ostile.

Per combattere il nervosismo, sentì il bisogno di trovarsi in mezzo alla gente: andò verso una via più frequentata, ma ancora, sull'angolo, si fermò a guardarsi indietro. Passò un ciclista, una donna attraversò la strada, ma egli non riusciva a scoprire alcun legame tra le persone, le cose intorno e l'ansia che lo rodeva. Voltandosi, il suo sguardo s'era incontrato con quello d'un altro passante, che stava anch'egli girando la testa indietro in quel momento. Insieme distolsero subito gli occhi l'uno dall'altro, come stessero cercando altro entrambi. Pietro pensò: "Forse quell'uomo s'è sentito guardato da me. Forse quest'irritante acuimento della sensibilità non sono io solo ad averlo, stamane; forse è il tempo, la giornata, che rende nervosi".

Era in una via di traffico, e con quest'idea in testa osservava la gente, e s'accorgeva di certi piccoli loro scatti, di mani che s'alzavano fin quasi al viso in movimenti di fastidio, di fronti che s'aggrottavano come prese da un'improvvisa preoccupazione o da un ricordo molesto. "Che razza di giornata! – si ripeteva Pietro, – che razza di giornata!" e alla fermata del tram, a battere i piedi s'accorgeva che anche gli altri che aspettavano con lui battevano i piedi, rileggevano il cartello delle linee tramviarie come cercando qualcosa che non c'era scritto.

Sul tram il bigliettario sbagliava nel dare il resto e s'arrabbiava; il conduttore scampanellava contro i pedoni e le biciclette con accanimento doloroso; e i passeggeri stringevano le dita alle manopole come naufraghi in mare.

Pietro riconobbe la grossa persona di Corrado, seduto, che non lo vedeva; guardava assorto fuori dei vetri, e si scavava una guancia con un'unghia.

– Corrado! – lo chiamò di sopra la sua testa.

L'amico sussultò. – Ah, sei tu! Non t'avevo visto. Ero sovrappensiero.

– Ti vedo nervoso, – disse Pietro, e, rendendosi conto che non voleva altro che riconoscere negli altri il suo stato, aggiunse: – Sono piuttosto nervoso anch'io, oggi.

– E chi non lo è? – fece Corrado, e sulla sua larga faccia passò quel sorriso paziente e ironico che convinceva tutti a dargli ascolto e fiducia.

– Sai cosa mi sembra? – disse Pietro. – Di sentirmi addosso degli occhi che mi fissano.

– Occhi come?

– Occhi di qualcuno già visto, ma che non ricordo. Occhi freddi, ostili...

– Occhi che quasi non ti considerano, ma di cui tu non puoi fare a meno di tener conto?

– Sì... Occhi come...

– Come i tedeschi? – disse Corrado.

– Ecco, come occhi di tedesco.

– Eh, si capisce, – disse Corrado e aperse i giornali che aveva in mano – con queste notizie... – Indicò i titoli: Kesselring amnistiato... Adunanze di SS... Finanziamenti americani al neonazismo... – Ecco che ce li sentiamo di nuovo addosso...

– Ah, questo... Credi che sia questo... E perché lo sentiamo solo adesso...? Kesselring, le SS c'erano anche prima, anche un anno fa, due anni fa... Magari erano ancora in galera, ma noi sapevamo bene che esistevano, non li avevamo mai dimenticati...

– Lo sguardo, – disse Corrado. – Mi dicevi di sentire come uno sguardo. Finora, quello sguardo non l'avevano: tenevano ancora gli occhi bassi, e noi c'eravamo disabituati... Ormai erano degli exnemici, odiavamo quello che erano stati, non loro adesso. Invece ora hanno ripreso lo sguardo di prima... lo sguardo di otto anni fa di fronte a noi... Noi ce lo ricordiamo, ricominciamo a sentircelo addosso...

Avevano parecchi ricordi in comune, Pietro e Corrado, di quei tempi. E non erano ricordi allegri, in genere.

Il fratello di Pietro era morto in un *lager*. Pietro viveva con la madre, nella vecchia casa. Tornò verso sera. Il cancello cigolò con l'antico rumore, la ghiaia frusciava sotto le scarpe come al tempo in cui si tendeva l'orecchio al rumore d'ogni passo.

Dove camminava in quel momento il tedesco che era venuto quella sera? Forse attraversava un ponte, costeggiava un canale, una fila di basse case illuminate, là nella Germania piena di carbone e di rovine; era vestito in borghese con un cappotto nero abbottonato fino al collo, un cappello verde, gli occhiali, e guardava, guardava lui, Pietro.

Aperse la porta. – Sei tu! – disse la voce della madre. – Oh, finalmente!

– Lo sapevi che sarei tornato a quest'ora, – disse Pietro.

– Sì, ma non vedevo l'ora, – disse, – sono col batticuore tutto il giorno... Non so perché... Queste notizie... Questi generali che tornano a comandare... a dire che avevano ragione loro...

– Anche tu! – fece Pietro. – Sai cosa dice Corrado? Che tutti ci sentiamo gli occhi di quei tedeschi addosso... Perciò siamo tutti nervosi... – e rise, come fossero state idee solo di Corrado.

Ma sua madre si passava una mano sul viso.

– Dì, Pietro, ci sarà la guerra? Torneranno?

"Ecco, – pensò Pietro, – fino a ieri, quando sentivamo dire del pericolo d'una nuova guerra, non riuscivamo a immaginarci nulla di determinato, perché la vecchia guerra aveva avuto la loro faccia, e questa chissà come sarebbe stata. Ora invece lo sappiamo: la guerra ha ritrovato una faccia: ed è di nuovo la loro".

Dopo cena Pietro uscì; pioveva.

– Dì, Pietro, – chiese la madre.

– Cosa?

– Uscire con questo tempo...

– Ebbene?

– Niente... Non tardare a tornare...

– Sono grande da un pezzo, mamma...

– Sì... Addio...

La madre richiuse la porta, rimase ad ascoltare i passi sulla ghiaia, lo sbattere del cancello. Stette a sentire la pioggia che cadeva. La Germania era lontana, dietro tutte le Alpi. Pioveva anche là, forse. Kesselring passava in macchina spruzzando fango; l'esse-esse che aveva portato via suo figlio andava a una riunione, con un impermeabile nero lucido, il vecchio impermeabile da militare. Certo quella notte era sciocco stare in ansia; anche domani notte; forse anche tra un anno. Ma non sapeva fino a quando avrebbe potuto non stare in ansia; anche in tempo di guerra c'erano sere in cui si poteva non stare in ansia, ma già si stava in ansia per la sera dopo.

Era sola, fuori c'era il rumore della pioggia. Attraverso un'Europa di pioggia, gli occhi degli antichi nemici tagliavano la notte, fino a lei.

"Io vedo i loro occhi, – pensò la madre, – ma anche loro vedranno i nostri". E stette ferma, guardando fisso nel buio.

Un generale in biblioteca

In Panduria, nazione illustre, un sospetto s'insinuò un giorno nelle menti degli alti ufficiali: che i libri contenessero opinioni contrarie al prestigio militare. Difatti, da processi e inchieste era risultato che quest'abitudine ormai così diffusa di considerare i generali come gente che può anche sbagliare e combinar disastri, e le guerre come qualcosa di talvolta diverso da radiose cavalcate verso destini gloriosi, era condivisa da una gran quantità di libri, moderni e antichi, panduri e forestieri.

Lo Stato Maggiore di Panduria si riunì per fare il punto sulla situazione. Ma non sapevano da che parte cominciare, perché in materia bibliografica nessuno di loro era molto ferrato. Fu nominata una commissione d'inchiesta, al comando del generale Fedina, ufficiale severo e scrupoloso. La commissione avrebbe esaminato tutti i libri della più grande biblioteca di Panduria.

Era questa biblioteca in un antico palazzo pieno di scale e di colonne, scrostato e qua e là cadente. Le sue fredde sale erano stipate di libri, strapiene, in parte impraticabili; solo i topi potevano esplorarle in tutti gli anditi. Il bilancio dello Stato panduro, gravato da ingenti spese militari, non poteva provvedere a alcun aiuto.

I militari presero possesso della biblioteca un piovoso mattino di novembre. Il generale smontò da cavallo, traccagnotto, impettito, con la grossa collottola rapata, con le sopracciglia aggrottate sopra il *pince-nez*; da un'auto scesero quattro tenenti spilungoni, a mento alzato e palpebre abbassate, ognuno con la sua cartella in mano. Poi venne una squadra di soldati che s'accamparono nell'antico cortile, con muli, balle di fieno, tende, cucine, radio da campo e bandiere a lampo di colore.

Furono messe sentinelle alle porte, e un cartello che vietava l'ingresso, «causa le grandi manovre, fino a tutta la durata delle stesse». Era un espediente, perché l'inchiesta potesse essere compiuta in gran segreto. Gli studiosi che usavano recarsi in biblioteca ogni mattino, tutti incappottati, con sciarpe e passamontagna per non gelare, dovettero tornarsene indietro. Perplessi, si chiedevano: – Ma come, le grandi manovre in biblioteca? Ma non metteranno in disordine? E la cavalleria? E faranno pure i tiri?

Del personale della biblioteca rimase solo un vecchietto, il signor Crispino, reclutato perché spiegasse agli ufficiali la dislocazione dei volumi. Era un tipo bassottino, con la testa calva a uovo, e occhi come capocchie di spillo dietro gli occhiali a stanghetta.

Il generale Fedina si preoccupò innanzitutto dell'organizzazione logistica, perché gli ordini erano che la commissione non uscisse di biblioteca prima d'aver condotto a termine l'inchiesta; era un lavoro che richiedeva concentrazione, e non dovevano distrarsi. Così si procurarono rifornimenti di viveri, alcune stufe da caserma, una provvista di legna cui andarono a aggiungersi alcune raccolte di vecchie riviste, reputate poco interessanti. Mai c'era stato tanto caldo in biblioteca, di quella stagione. In luoghi sicuri, circondati da trappole pei topi, furono poste le brande dove il generale e i suoi ufficiali avrebbero dormito.

Poi si procedette alla divisione dei compiti. A ognuno dei tenenti furono assegnate determinate branche dello scibile, determinati secoli di storia. Il generale avrebbe controllato lo smistamento dei volumi e apposto timbri diversi a seconda se il libro era dichiarato leggibile per gli ufficiali, i sottufficiali, la truppa, oppure andava denunziato al Tribunale militare.

E la commissione cominciò il suo servizio. Ogni sera la radio da campo trasmetteva il rapporto del generale Fedina al comando supremo. «Esaminati volumi numero tanti. Trattenuti come sospetti tanti. Dichiarati leggibili per ufficiali e truppa tanti». Di rado quelle fredde cifre erano accompagnate da qualche comunicazione straordinaria: la richiesta di un paio di occhiali da presbite per un tenente che aveva rotto i suoi, la notizia che un mulo s'era mangiato un raro codice di Cicerone lasciato incustodito.

Ma avvenimenti di portata ben maggiore andavano maturando, di cui la radio da campo non trasmetteva notizia. La foresta dei libri anziché sfoltirsi, pareva farsi sempre più aggrovigliata ed insidiosa. Gli ufficiali si sarebbero smarriti, non fosse stato per l'aiuto del signor Crispino. Per esempio, il tenente Abrogati s'alzava in piedi di scatto e buttava sul tavolo il volume che stava leggendo: – Ma è inaudito! Un libro sulle guerre puniche che parla bene dei cartaginesi e critica i romani! Bisogna subito fare la denuncia! – (Va detto che i panduri, a torto o a ragione, si consideravano discendenti dei romani). Col suo passo silenzioso nelle pantofole felpate, gli s'avvicinava il vecchio bibliotecario. – E questo è niente –, diceva, – legga qui, sempre sui romani, cosa c'è scritto, ci potrà mettere anche questo nel verbale, e questo, e questo –, e gli sottoponeva una pila di volumi. Il tenente cominciava a sfogliare i volumi, nervoso, poi più interessato leggeva, prendeva appunti. E si grattava la testa borbottando: – Perbacco! Ma quante se ne imparano! Ma chi l'avrebbe detto! – Il signor Crispino si spostava verso il tenente Lucchetti che chiudeva un tomo con furia, dicendo: – Bella roba! Qui hanno il coraggio d'esprimere dei dubbi sulla purezza degli ideali delle Crociate! Signorsì, delle Crociate! – E il signor Crispino, sorridente: – Ah, guardi che se deve fare un verbale su quell'argomento, posso suggerirle qualche altro libro, dove può trovare più dettagli –, e gli tirava giù mezzo scaffale. Il tenente Lucchetti si faceva sotto a testa bassa, e per una settimana lo si sentiva scartabellare e mormorare: – Però queste Crociate, bell'affare!

Nel comunicato serale della commissione, la cifra dei libri esaminati era sempre più grossa, ma non si riportava più alcun dato sui verdetti positivi o negativi. I timbri del generale Fedina restavano inoperosi. Se egli, cercando di controllare il lavoro dei tenenti, chiedeva a uno di loro: – Ma come mai ha lasciato passare questo romanzo? La truppa ci fa più bella figura degli ufficiali! È un autore che non rispetta l'ordine gerarchico! –, il tenente gli rispondeva citando altri autori, e impelagandosi in ragionamenti storici, filosofici e economici. Ne nascevano discussioni generali, che continuavano ore e ore. Il signor Crispino, silenzioso nelle sue pantofole, quasi invisibile nel suo camice grigio, interveniva sempre al momento giusto, con un libro che a suo parere conteneva particolari interessanti sull'argomento in questione, e che aveva sempre l'effetto di mettere in crisi le convinzioni del generale Fedina.

Intanto i soldati avevano poco da fare e s'annoiavano. Uno di loro, Barabasso, il più istruito, chiese agli ufficiali un libro da leggere. Lì per lì volevano dargliene uno di quei pochi che erano già stati dichiarati leggibili dalla truppa; ma pensando alle migliaia di volumi che restavano ancora da esaminare, al generale rincrebbe che le ore di lettura del soldato Barabasso andassero perdute ai fini del servizio; e gli diede un libro ancora da esaminare, un romanzo che pareva facile, consigliato dal signor Crispino. Letto il libro, Barabasso doveva riferirne al generale. Anche altri soldati chiesero e ottennero di far lo stesso. Il soldato Tommasone leggeva a alta voce a un suo camerata analfabeta, e questi diceva il suo parere. Alle discussioni generali cominciarono a partecipare anche i soldati.

Sul proseguimento dei lavori della commissione non si conoscono molti particolari: quello che successe nella biblioteca nelle lunghe settimane invernali non è stato riportato. Sta il fatto che allo Stato Maggiore di Panduria i rapporti radiofonici del generale Fedina arrivarono sempre più rari, fino a che non cessarono del tutto. Il comando supremo cominciò a allarmarsi; trasmise l'ordine di concludere l'inchiesta al più presto e di presentare un'esauriente relazione.

L'ordine giunse alla biblioteca mentre l'animo di Fedina e dei suoi uomini era combattuto da opposti sentimenti: da un lato stavano scoprendo ogni momento nuove curiosità da soddisfare, stavano prendendo gusto a quelle letture e a quegli studi come mai prima avrebbero immaginato; d'altro canto non vedevano l'ora di tornare tra la gente, di riprendere contatto con la vita che appariva loro adesso tanto più complessa, quasi rinnovata ai loro sguardi; e d'altro canto ancora, l'approssimarsi del giorno in cui dovevano lasciare la biblioteca li riempiva d'apprensione, perché bisognava render conto della loro missione, e con tutte le idee che andavano loro rampollando in capo non sapevano più come cavarsi d'impiccio.

A sera guardavano dalle vetrate le prime gemme sui rami illuminate dal tramonto, e le luci della città accendersi, mentre uno di loro ad alta voce leggeva i versi d'un poeta. Fedina non era insieme a loro: aveva dato ordine d'esser lasciato solo al suo tavolo, perché doveva stendere la relazione finale. Ma ogni tanto s'udiva il campanello suonare e la sua voce chiamare: – Crispino! Crispino! – Non poteva andare avanti senza l'aiuto del vecchio bibliotecario, e finirono per sedersi allo stesso tavolo e stendere la relazione insieme.

Un bel mattino finalmente la commissione uscì di biblioteca e andò a rapporto al comando supremo; e Fedina illustrò i risultati dell'inchiesta davanti allo Stato Maggiore riunito. Il suo discorso era una specie di compendio della storia dell'umanità dalle origini ai nostri giorni, in cui tutte le idee più indiscutibili per i bempensanti di Panduria erano criticate, le classi dirigenti denunciate come responsabili delle sventure della patria, il popolo esaltato come vittima eroica di guerre e politiche sbagliate. Era un'esposizione un po' confusa, con affermazioni spesso semplicistiche e contradditorie come capita a chi ha da poco abbracciato nuove idee. Ma sul significato complessivo non si poteva avere dubbi. Il consesso dei generali di Panduria allibì, sbarrò gli occhi, ritrovò la voce, gridò. Il generale non poté neppure finire. Si parlò di degradazione, di processo. Poi, per timore di scandali più gravi, il generale e i quattro tenenti furono mandati in pensione per motivi di salute, causa «un grave esaurimento nervoso contratto in servizio». Vestiti in abiti civili, furono visti spesso entrare, incappottati e imbottiti per non gelare, nella vecchia biblioteca, dove li aspettava il signor Crispino coi suoi libri.

La collana della regina

Pietro e Tommaso litigavano sempre.

All'alba, il cigolìo delle loro vecchie biciclette e le voci, cavernosa e nasale quella di Pietro, chioccia e a tratti afona quella di Tommaso, erano gli unici suoni per le vuote vie. Andavano insieme alla fabbrica dove erano operai. Di tra le stecche delle persiane si sentiva ancora il suono e il buio gravare nelle stanze. Gli attutiti scampanellìi delle sveglie cominciavano di casa in casa un rado dialogo, che in periferia s'infittiva, per mutarsi finalmente, come la città si mutava in campagna, in un dialogo di galli.

Questo primo quotidiano ridestarsi dei suoni passava inosservato ai due operai, occupati com'erano a discutere a gran voce: perché erano sordi tutt'e due, Pietro un po' indurito di timpani da qualche anno, Tommaso con un fischio continuo in un orecchio dalla prima guerra mondiale.

– Ecco com'è che stanno le cose. Caro mio – così Pietro, un omone sulla sessantina, d'in bilico al suo tremante veicolo, tuonava giù addosso a Tommaso, più vecchio di lui d'un lustro, ma basso e già un po' curvo. – Tu non hai più fiducia, caro mio. Lo so anch'io che oggi come oggi, fare dei figli vuol dire fare della fame, ma domani tu non sai, non sai la bilancia da che parte tiene, domani fare dei figli può voler dire l'abbondanza. Ecco come io vedo giustamente le cose.

Tommaso, senz'alzare lo sguardo all'interlocutore, sgranando i bulbi gialli degli occhi, gettava strilli acuti che improvvisamente diventavano afoni: – Siii! Siii! All'operaio che mette famiglia deve esser detto questo!: tu vai a mettere al mondo degli individui per aumentare la miseria e la disoccupazione! Altro che! Questo deve sapere! Altro che! Lo dico e lo ripeto!

La discussione quel mattino verteva su un problema generale: se l'aumento della popolazione giovasse o nuocesse ai lavoratori. Pietro era ottimista e Tommaso pessimista. In fondo a questo contrasto d'opinioni c'era il progettato matrimonio tra il figlio di Pietro e la figlia di Tommaso. Pietro era favorevole e Tommaso contrario.

– E poi bambini, intanto, non ne hanno ancora avuti! – saltò su a un tratto Pietro. – Campa cavallo! Ci mancherebbe altro! Si discute del fidanzamento, non dei bambini!

Tommaso urlò: – Quando si sposano, li fanno!

– In campagna! Dove sei nato tu! – gli ribatté contro Pietro. Per poco non incastrò con la ruota in un binario di tram. Imprecò.

– Comeee...? – fece Tommaso che pedalava avanti.

Pietro scosse il capo e stette zitto. Procedettero per un po' in silenzio.

– Poi, si capisce – disse Pietro, concludendo ad

alta voce un suo ragionamento interiore – quando càpita, càpita!

S'erano lasciati la città alle spalle; andavano per una via rialzata tra prati incolti. C'era un'ultima nebbia. Dal limitato grigio orizzonte la fabbrica affiorava.

Un motore rombò dietro di loro; fecero appena in tempo a mettersi sul ciglio, che li sorpassò una grossa automobile lussuosa.

La strada non era asfaltata, la polvere alzata dalla macchina avvolse i due ciclisti e dalla spessa nuvola si levava la voce di Tommaso: – Ed è nell'esclusivo interesse diii... Och, och, och!... – Era scoppiato in un accesso di tosse per la polvere inghiottita e dalla nuvola emergeva un suo corto braccio che indicava in direzione della macchina, certo per significare l'interesse della classe padronale. E Pietro, tossendo congestionato e cercando di parlare in mezzo alla tosse, faceva: – Guach... Nooo... Guach... piuuù... – indicando la macchina con ampio gesto negativo per esprimere il concetto che l'avvenire non era in mano agli utenti delle fuori serie.

La macchina correva via, quando le s'aperse una portiera. Sbatté all'indietro, spinta da una mano, e un'ombra di donna quasi si lanciò fuori dall'auto. Ma chi guidava frenò subito; la donna saltò giù, e nella nebbietta del mattino gli operai la videro correre e traversar la strada. Aveva i capelli chiari, una lunga veste nera, e una cappa di volpi azzurre con le code a frangia.

Dalla macchina venne giù un uomo in soprabito,

gridando: – Ma sei pazza! Ma sei pazza! – Lei volava già fuori strada tra i cespugli, e l'uomo la inseguì finché sparirono.

I terreni sotto la strada erano prati con fitte chiazze d'arbusti, e i due operai vedevano quella signora ora uscirne ora scomparire, muovendo piccoli passi veloci nella guazza. Con una mano teneva la gonna sollevata da terra, e si liberava, con mosse delle spalle, dai rami che le s'impigliavano alle code delle volpi. Anzi, prese a tenderli, i rami, e a farli sbattere indietro, addosso all'uomo che la rincorreva senza troppa fretta e, si sarebbe detto, senza voglia. La signora faceva la matta per i prati, e strillava risate, e si faceva piovere la brina dei rami sui capelli. Finché lui, sempre calmo, invece d'inseguirla le tagliò la strada e la prese per i gomiti; e sembrava che lei si divincolasse e lo mordesse.

I due operai dal terrapieno della strada seguivano la caccia pur non smettendo di pedalare e di badare a dove andavano, zitti, a ciglia aggrottate e a bocca aperta, con gravità più diffidente che curiosa. Così stavano per raggiungere l'auto ferma, lasciata lì a portiere spalancate, quando l'uomo in soprabito tornò, tenendo la signora che si faceva spingere e mandava un grido quasi da bambino. Si richiusero in macchina e partirono; e di nuovo i ciclisti incontrarono la polvere.

– Intanto che noi cominciamo la nostra giornata, – tossicchiò Tommaso – gli ubriachi finiscono la loro.

– Obiettivamente – eccepì l'amico, fermandosi a

guardare indietro – lui non era ubriaco. Guarda che frenata.

Studiarono l'impronta delle ruote. – Ma che... ma cosa... ma con una macchina così... – replicava Tommaso – sfido io! Ma non lo sai che una macchina così ti blocca...

Non finì la frase; i loro sguardi, girando per terra lì intorno, s'erano fermati su un punto fuori strada. C'era qualcosa che luccicava su un cespuglio. Fecero insieme, a bassa voce: Ehi.

Smontarono di sella, appoggiarono le bici a un paracarro. – La gallina ha fatto l'uovo – disse Pietro e saltò nel prato con una leggerezza che non si sarebbe aspettata in lui. Sul cespuglio c'era una collana di quattro fili di perle.

I due operai tesero le mani e, con delicatezza, come cogliessero un fiore, staccarono la collana dal ramo. La tenevano tutt'e due con ambe le mani, tastando le perle tra i polpastrelli, ma appena appena, e così andavano avvicinandosela agli occhi.

Poi, insieme, come ribellandosi all'affascinata soggezione che l'oggetto ispirava, abbassarono i pugni, ma né l'uno né l'altro lasciò andare la collana. Pietro sentì che bisognava parlare, soffiò, e disse: – Hai visto che razza di cravatte son di moda...

– È falsa! – gli gridò in un orecchio Tommaso, immediatamente, come se già da un po' scoppiasse dalla voglia di dirlo, anzi come fosse stato il suo primo pensiero appena avvistata la collana, ed aspettava solo un qualche segno di compiacimento da parte dell'amico per potergli ribattere così.

Pietro alzò la mano che impugnava la collana e tirò su anche il braccio di Tommaso. – Cosa ne sai?

– Ne so che devi credere a quello che ti dico: i gioielli veri li tengono sempre in cassaforte.

Passavano le grosse mani dure e rugose sulla collana, giravano le dita tra filo e filo, e l'unghia negli interstizi tra le perle. Le perle filtravano una debole luce come le gocce di brina sulle ragnatele, una luce di mattina d'inverno, che non persuade dell'esistenza delle cose.

– Vere o false... – disse Pietro – io, sai... – e cercava di provocare nell'amico un'attesa ostile per quel che stava per dire.

Tommaso, che voleva essere il primo a portare il discorso in quella direzione, capì d'esser stato preceduto e cercò di rimettersi in vantaggio, mostrando di seguire un suo pensiero già da un pezzo.

– Ah, mi dispiace per te – fece, con aria irritata – io, la prima cosa...

Era chiaro che volevano sostenere tutt'e due la stessa opinione, eppure si guardavano pieni d'ostilità. Gridarono tutt'e due, nello stesso momento e più in fretta che potevano: – Restituzione! – Pietro alzando il mento con la solennità d'una sentenza, Tommaso rosso in faccia e a occhi sgranati come se tutte le sue forze fossero tese a pronunciare la parola prima dell'amico.

Ma il gesto compiuto li aveva eccitati e inorgogliti; come rappacificati d'improvviso, si scambiarono uno sguardo soddisfatto.

– Non ci sporchiamo le mani, noi! – gridò Tommaso.

– Ah! – rise Pietro – una lezione di dignità, gli diamo!

– Noi – proclamò Tommaso – non raccogliamo i loro rifiuti!

– Ahà! Siamo poveri – fece Pietro – ma più signori di loro!

– E sai che cosa facciamo, anche? – s'illuminò Tommaso, felice d'esser riuscito finalmente a superare Pietro. – Rifiutiamo la mancia!

Guardarono ancora la collana; era sempre lì, che pendeva dalle loro mani.

– Non hai preso il numero di quella macchina – disse Pietro.

– No; perché? Tu l'hai preso?

– E chi andava a pensare?

– Ah! Come si fa?

– Mah: un bel pasticcio.

Poi, tutti e due insieme, come se d'improvviso una fiammata d'avversione fosse riavvampata tra loro: – L'ufficio oggetti smarriti. La porteremo là.

L'orizzonte si schiariva e la fabbrica non era più soltanto un'ombra ma si rivelava colorata d'una ingannevole tinta rosa.

– Che ora sarà? – disse Pietro. – Bolleremo la cartolina in ritardo, ho paura.

– Ci piglieremo la multa, stamattina – fece Tommaso – la solita storia: quelli là bagordano e noi paghiamo!

Tutt'e due avevano alzato la mano con quella collana che li univa come detenuti ammanettati. La soppesavano nel palmo come se stessero entrambi per dire: «Be', l'affido a te». Nessuno dei due lo diceva, però; avevano una stima incondizionata l'uno dell'altro, ma erano troppo abituati a litigare perché l'uno potesse concedere all'altro un qualsiasi punto di vantaggio.

Bisognava in fretta rinforzare le biciclette, e ancora non avevano affrontato la questione: chi dei due avrebbe tenuto la collana, prima di poterla consegnare o comunque di decidere qualcosa? Continuarono a star fermi e zitti, guardando la collana come se da essa potesse venir fuori la risposta. Difatti venne: il gancetto che teneva insieme i quattro giri di perle, nella lotta o cadendo, s'era mezzo spezzato. Bastò torcerlo un poco perché si spezzasse del tutto.

Pietro prese due giri e Tommaso gli altri due, con l'intesa che qualsiasi decisione in proposito l'avrebbero prima concordata insieme. Appallottolarono i preziosi aggeggi, se li nascosero addosso, rimontarono sulle biciclette, zitti, senza guardarsi, e ripresero il loro cigolante pedalare verso la fabbrica, sotto il cielo che s'andava riempiendo di nuvole bianche e fumo nero.

S'erano appena allontanati quando da dietro un cartellone pubblicitario a un lato della strada apparve un uomo. Era secco, lungo e malvestito; da alcuni minuti stava scrutando da distante i due operai. Era il disoccupato Fiorenzo, che passava le giornate cercando oggetti utilizzabili tra i rifiuti della periferia. In questa categoria d'uomini cova sempre, tenace e struggente come una malattia professionale, la speranza di trovare un tesoro. Venendo a quei prati per il consueto giro mattutino, Fiorenzo aveva scorto l'auto che ripartiva, gli operai correre giù per la scarpata e raccogliere l'oggetto. E subito s'era reso conto che quell'occasione così rara da non presentarsi mai più di una volta nella vita d'un uomo, lui l'aveva persa per meno d'un minuto.

Della commissione interna che doveva esser ricevuta dal dottor Starna faceva parte anche Tommaso. Sordo, testardo, mentalità all'antica, spirito di contraddizione, tutto quello che si vuole: però nelle votazioni interne della fabbrica Tommaso riusciva sempre eletto. Era uno degli operai più anziani dell'azienda, conosciuto da tutti, una bandiera; e anche se i suoi compagni della commissione già da un pezzo pensavano che al suo posto ci sarebbe andato meglio uno più abile nel discutere e più orientato e pronto, pure riconoscevano che Tommaso aveva dalla sua il prestigio della tradizione e come tale lo rispettavano e gli ripetevano nell'orecchio senza fischio le frasi più importanti dei colloqui.

A Tommaso il giorno prima una sorella che abitava in campagna e che veniva a trovarlo ogni tanto aveva portato un coniglio, in regalo per il suo compleanno, che veramente era stato un mese prima. Un coniglio morto, naturalmente, da mettere subito in casseruola. Sarebbe stato bello aspettare a cucinarlo la domenica per fare un pranzo con tutta la famiglia riunita attorno al tavolo; ma forse il coniglio andava a male, così subito le figlie di Tommaso lo fecero in umido, e la sua parte lui se la portò in fabbrica, dentro un filone di pane.

Qualsiasi pietanza ci fosse a pranzo: trippa, stoccafisso, frittata, le figlie di Tommaso (era vedovo) tagliavano in due un filone di pane e la schiacciavano lì in mezzo; lui ficcava il pane nella cartella, appendeva la cartella al telaio della bici e partiva, al mattino presto, per la sua giornata di lavoro. Ma quel giorno, quel pane imbottito di coniglio che sarebbe stata la consolazione di quella giornata di pensieri, non gli riuscì neanche di portarlo alla bocca. Gli era venuta la cattiva idea, spogliandosi, non sapendo dove nascondere quella benedetta collana, di schiacciarla dentro il pane in mezzo alla carne di coniglio in umido.

Alle undici erano venuti ad avvertirlo, insieme a Fantino, Criscuolo, Zappo, Ortica e tutti gli altri, che il dottor Starna accettava il colloquio e li aspettava. Si lavano, si cambiano in fretta e furia, e su con l'ascensore. Al quinto piano, aspetta e aspetta: viene l'ora dell'interruzione del lavoro per la mensa, e il dottor Starna non li ha ancora ricevuti. Finalmente la segretaria, una bionda dal bel corpo e dalla brutta faccia da campione ciclista, viene a dire che il dottore ora non può, che tornino pure ai reparti con gli altri e che appena sarebbe stato libero li avrebbe fatti richiamare.

Alla mensa, tutti i compagni li aspettavano col fiato sospeso: – E allora? e allora? – ma parlare di cose sindacali a mensa era proibito. – Niente, torniamo al pomeriggio. – Ed è già l'ora della ripresa del lavoro: quelli della commissione si sono appena seduti ai tavoli di zinco, a mangiare un boccone in furia, perché alla ripresa i minuti di ritardo glie li avrebbero segnati. – Ma per domani, cosa si deci-

de? – chiedevano gli altri, uscendo dalla mensa.
– Appena avremo avuto il colloquio, vi riferiremo e
decideremo sul da farsi.

Tommaso tirò fuori dalla sua cartella una testa di
cavolfiore bollita, una forchetta, una bottiglina d'o-
lio, ne versò un po' in un piatto d'alluminio e man-
giò cavolfiore, e intanto con la mano carezzava nella tasca della giacca il panciuto sfilatino pieno di
carne e perle, che la presenza dei compagni gl'impediva di tirar fuori. E in un assalto di ghiottoneria
per il coniglio, malediva quelle perle che lo incate-
navano a una dieta di cavolfiore per tutta la giornata, e che lo allontanavano dalla piena confidenza
coi compagni, imponendogli un segreto che non era
altro, in quel momento, che un fastidio.

A un tratto, si vide di fronte, al di là del tavolo,
in piedi, Pietro, che prima di tornare in reparto voleva fargli un cenno di saluto. Gli stava davanti alto, grosso, con uno stecchino che girava in bocca, e
un occhio strizzato in un ostentato ammicco. A
Tommaso, al veder lì Pietro pasciuto, spensierato –
tale almeno gli pareva – mentre lui mandava giù
forchettate quasi impalpabili di cavolfiore bollito,
venne una tale rabbia che il piatto d'alluminio prese a tremare sullo zinco del tavolo come se ci fossero gli spiriti. Pietro scrollò le spalle a andò via. Ormai anche gli ultimi operai lasciavano in fretta la
mensa, e Tommaso con le labbra unte attaccate a
una bottiglietta da gazosa piena di vino corse via
anche lui.

L'atteggiamento degli operai verso il cane danese
entrato nella stanza d'aspetto della direzione – s'e-

rano tutti voltati di scatto alla porta credendo fosse finalmente il dottor Gigi Starna – fu festoso da parte d'alcuni e da parte d'altri ostile. I primi vedevano nel danese un animale fratello, una vigorosa libera creatura tenuta prigioniera, un compagno di servitù, i secondi solo un'anima dannata della classe dirigente, un suo strumento o ammennicolo, un suo lusso. Le stesse opinioni contrastanti, insomma, che talora gli operai manifestano a proposito del ceto intellettuale.

Il contegno di Guderian invece fu riservato e indifferente, sia verso chi gli diceva: – Bello! Vieni qui! Da' qui la zampa! – sia verso chi gli diceva: – Passa via! –. Con un'appena accennata aria di sfida che si esprimeva in superficiali puntate olfattive e in un uniforme, lento scodinzolio, fece il giro di tutti loro: non degnò d'uno sguardo il ricciolùto e lentigginoso Ortica – quello che s'intendeva di tutto e appena entrato s'era piantato coi gomiti sul tavolo a brucare certe riviste pubblicitarie posate lì, e che vedendo il cane lo considerò da cima a fondo, e disse tutto sulla razza l'età i denti il pelo – né il glabro Criscuolo dallo sguardo perduto lontano, che, succhiando il suo sigaretto spento, fece per allungargli un calcio. Fantino, che aveva tratto di tasca il suo giornale spiegazzato, un giornale proibito in fabbrica – e sentendosi in quel momento protetto da una specie d'immunità diplomatica, approfittava di quel tempo d'attesa per leggerlo, dato che la sera a casa lo pigliava subito il sonno – si vide il muso affumicato del cane coi rossi occhi luccicanti apparire sopra una spalla, e istintivamente, lui uomo non uso a lasciarsi intimorire, gli venne da piegare il foglio per nascondere la testata. Arrivato a Tommaso, Guderian si fermò, si sedette sulle zampe di dietro e restò a orecchie ritte e naso alzato.

Tommaso, che non era tipo da mettersi a giocherellare né con bestie né con persone, pure, per una certa soggezione al trovarsi in quel lucido autorevole ambiente, si credette in dovere d'usare al cane qualche blanda cordialità, come uno schiocco di lingua, o un leggero fischio che subito, nelle sue incontrollate reazioni di sordo, risultò acutissimo. Cercò insomma di ristabilire quella spontanea confidenza tra uomo e cane che lo riportava alla sua giovinezza contadina, ai cani campagnuoli, mansi e orecchiuti segugi o pelosi e ringhianti botoli da pagliaio. Ma la disparità sociale tra quei suoi cani e questo, così lustro, ben raso e padronale, gli saltò subito agli occhi, ed egli ne rimase come intimidito. Seduto con le mani sulle ginocchia, muoveva il capo in piccoli scatti laterali, a bocca aperta, come in un muto abbaio, per invitare il cane a decidersi, a muoversi, a togliersi di lì. Invece, Guderian restava davanti a lui, immobile ma tutto ansimante, e alfine allungò il muso verso un lembo del giaccone del vecchio.

– Avevi un amico, in direzione, Tommaso, e non ce l'hai mai detto! – scherzavano i compagni.

Ma Tommaso impallidiva: aveva capito in quel momento che era l'odore di coniglio in umido che il cane annusava.

Guderian passò all'attacco. Mise una zampa sul petto di Tommaso e quasi lo ribaltò con la sua se-

dia, gli dette una linguata in faccia insalivandoglie-
la, e il vecchio per mandarlo via faceva il gesto di
chi lancia un sasso, di chi mira a un tordo, di chi
salta un fosso, ma il cane non capiva la mimica o
non cascava nei tranelli, e non gli si spiccava di
dosso, anzi, preso come da un'improvvisa vena
d'allegria, saltava alzando le zampe anteriori fin sopra le spalle dell'operaio, e sempre tornava a intru-
folare il muso in direzione della tasca della giacca.

– Via, bello, su, va' via! Su, bello, mondoboia! –
borbottava Tommaso, con gli occhi iniettati di sangue, e in mezzo alle sue feste Guderian si sentì arrivare una secca pedata in un fianco. Gli s'avventò
contro mostrandogli i denti, all'altezza del viso, poi
subito azzannò il lembo del giaccone, e tirò. Tommaso fece appena in tempo a portar via il filone di
pane, perché non gli strappasse via la tasca.

– To', uno sfilatino! – dissero i compagni. – Bravo, ti tieni il desinare in tasca, sfido che ti vanno
dietro i cani! Lo dassi a noi, quando t'avanza!

Tommaso alzando quanto poteva il suo corto
braccio, cercava di salvare il pane dagli assalti del
danese. – E mollaglielo! Non te lo togli più, ormai!
Mollaglielo! – dicevano i compagni.

– Passa! Passa a me! Perché non passi? – diceva
Criscuolo, battendo le mani, pronto a prenderlo al
volo come un giocatore di pallacanestro.

Ma Tommaso non passò. Guderian spiccò un
balzo più alto degli altri, e andò ad accucciarsi in
un angolo con lo sfilatino fra i denti.

– Lasciaglielo, Tommaso, che vuoi farci, ormai?
Finisce che ti morde! – dicevano i compagni, ma il

vecchio, accoccolato vicino al danese si sarebbe detto cercasse di ragionargli.

– Cosa vuole adesso? Ripigliarsi un pane mezzo mangiato? – si chiedevano i compagni, ma in quella la porta si aperse e ricomparve la segretaria: – Vogliono accomodarsi? – e tutti si affrettarono a seguirla.

Tommaso fece per avviarsi dietro a loro, ma non era affatto rassegnato a buttar via così la collana. Cercò di farsi venir dietro il cane, poi pensò che vederlo comparire davanti al dottor Starna con la collana in bocca era peggio, e si chinò di nuovo a sussurrargli (cercando d'atteggiare la sua faccia irosa ad un inutile grottesco sorriso): – Da' qui, bello, da' qui bestia maledetta!

La porta s'era richiusa. Nella stanza d'aspetto non c'era più nessuno. Il cane trasportò la sua preda in un cantuccio, dietro una poltrona. Tommaso si torse le mani, la sua sofferenza più che per la perdita della collana (non aveva sempre detto di non attribuirle alcun valore?) era per il doversi trovare in colpa davanti a Pietro, e dovergli raccontare com'era andata, giustificarsi... ed era anche per il suo non sapersi adesso spiccicare di lì, e il perder tempo in quella situazione così stupida e incomprensibile agli altri...

– Glie lo strappo! – decise. – Se mi morde, chiedo i danni. – E si mise carponi anche lui, dietro quella poltrona, e allungò una mano verso la bocca del cane. Ma il cane, abbondantemente nutrito, ed educato alla scuola temporeggiatrice del suo padrone, non mangiava il pane, limitandosi a mordic-

chiarlo da una parte, né reagiva con quella cieca ferocia che è caratteristica del carnivoro cui si vuol
strappare il cibo: ci giocherellava, invece, con una
certa qual inclinazione felina, che in un cagnaccio
adulto e taurino come lui era un ben grave segno di
decadenza.

Gli altri della commissione non s'erano accorti
che Tommaso non li aveva seguiti. Fantino stava
facendo il suo discorso, e, giunto al punto in cui diceva: – ... E ci sono qui presenti tra noi uomini coi
capelli bianchi che hanno dato all'azienda più di
trent'anni della loro vita... – volle indicare Tommaso, e prima indicò a destra, poi a sinistra, e tutti si
accorsero che Tommaso non c'era. Che gli fosse
preso male? Criscuolo si voltò in punta di piedi e
andò a cercarlo nella stanza dov'erano stati prima.
Non vide nessuno: – Si sarà sentito stanco, povero
vecchio – pensò – e se ne sarà andato a casa. Pazienza! Tanto è sordo! poteva pur dircelo però! –.
E tornò con la commissione, senza pensare di guardare dietro la poltrona.

Accucciati là in fondo, il vecchio e il cane gioca-
vano: con le lacrime agli occhi Tommaso, e Guderian scoprendo i denti in un riso canino. L'ostina-
zione di Tommaso aveva un fondamento preciso:
era convinto che Guderian fosse stupido e che sarebbe stata una vergogna dargliela vinta. Difatti,
quando profittando delle sue compiacenze feline,
riuscì a dare una manata al pane in modo da far volare via la parte di sopra, il cane balzò verso il mezzo sfilatino volato via, e Tommaso ebbe in mano
l'altra metà con le perle e il coniglio. Arraffò la col-

lana, la liberò dai pezzi di coniglio impigliati tra le perle, la cacciò in tasca, e cacciò in bocca la carne, dopo aver rapidamente riflettuto che i morsi del cane allo sfilatino erano stati solo marginali e non avevano raggiunto l'infarcitura.

Poi, in punta di piedi, fece il suo ingresso nello studio del dottor Starna, paonazzo in viso, a bocca piena, col fischio che infieriva altissimo nell'orecchio, e s'unì al gruppo dei compagni che gli lanciarono traverse occhiate interrogative. Gigi Starna che durante la relazione di Fantino non alzava lo sguardo dai suoi prospetti squadernati sulla scrivania, come concentrandosi sulle cifre, sentì un rumore come di qualcuno che mangiasse vicino a lui. Alzò gli occhi e si vide di fronte una faccia in più, che prima non aveva visto: rugosa, cianotica, con due gialli e venosi bulbi d'occhio sbarrati, infuriata, insensibile, e che si muoveva masticando masticando con un rabbioso rumore di mascelle. E ne rimase così turbato che riabbassò lo sguardo sulle sue cifre e non osò più rialzarlo, e non capiva perché mai potesse quell'uomo esser venuto a mangiare lì in sua presenza, e cercava di scacciarselo di mente per esser pronto a controbattere con energia ed astuzia alla relazione di Fantino, ma già s'accorgeva che buona parte della sua sicurezza era svanita.

Ogni notte prima di coricarsi, la signora Umberta si ungeva il viso con crema di cetriolo, vitaminica. L'essersi buttata a letto quel mattino non ricordava bene come, dopo una notte in bianco, senza crema di cetriolo, senza massaggi, senza ginnastica contro le pieghe del ventre, senza insomma tutto il solito suo rituale estetico, non poteva che causarle un sonno irrequieto. All'aver trascurato quelle operazioni, non alla quantità di alcolici bevuta, attribuiva l'agitazione, il mal di testa, la bocca amara che funestarono quelle sue scarse ore di sonno. Solo l'abitudine a dormire supina, per osservanza a una regola di bellezza divenuta atteggiamento verso la vita, faceva sì che l'irrequietudine di questo suo riposo s'esprimesse in forme armoniose e sempre in qualche modo – ella n'era ben conscia – attraenti per un immaginario osservatore, così come apparivano di tra le contorte volute del lenzuolo.

In quel risveglio e disagio, in quel senso di cose dimenticate, la prese un allarme indistinto. Dunque, era rientrata in casa, aveva buttato la cappa di volpi su una poltrona, s'era sfilata l'abito da sera... ma tra le lacune della memoria c'era questa, che le dava fastidio: la collana, quella collana che doveva tenere più preziosa dello stesso suo morbido e liscio collo, non ricordava affatto d'essersela tolta, e meno ancora d'averla riposta nel cassetto segreto della toilette.

Si levò dal letto, in un volo di lenzuola, gonne d'organza e capelli scomposti, traversò la stanza, gettò un'occhiata sul cassettone, sulla toilette, dovunque potesse aver lasciato la collana, si guardò velocemente nello specchio con una smorfia di disapprovazione per l'aria sbattuta che aveva, aperse un paio di cassetti, si guardò ancora nello specchio sperando di smentire quella prima impressione, entrò nella stanza da bagno e guardò sulle mensole, indossò una *liseuse*, guardò come le stava nello specchio del lavabo e poi di là nella specchiera, aperse il cassetto segreto, lo richiuse, si scompigliò i capelli, prima alla cieca, poi con una certa compiacenza. Aveva perso la collana di quattro giri di perle. Andò al telefono.

– Mi dia l'architetto... Enrico, sì, sono già alzata... Sì, io sto bene, ma senti, la collana, la collana di perle... L'avevo quando siamo usciti di là, sono sicura che l'avevo... E no che non l'ho più... Non so... Sì che ho cercato bene... Tu non ti ricordi?...

Enrico, arrivato tardi allo studio, assonnato pesto (aveva dormito due ore), nervoso, annoiato, col giovane disegnatore che facendo finta di lucidare un progetto stava lì tutt'orecchi, col fumo della sigaretta che gli irritava gli occhi, disse: – Be', te ne farai regalare un'altra...

Gli rispose uno strillo nel microfono che fece sussultare anche il disegnatore: – Ma sei mattoo! Ma è quella che mio marito m'aveva proibito di portare, capisciii! Ma è quella che costa... no, non posso dirlo per telefonooo! Finiscilaaa! Se sa solo che l'ho mostrata in giro mi caccia di casa! Se poi sa che l'ho persa... mi uccide!

– Sarà in macchina, sai – disse Enrico, e lei d'incanto si calmò.

– Dici?

– Dico.

– Ma ti ricordi se l'avevo?... Ma ti ricordi che siamo scesi, a un certo punto... dov'era?

– E cosa vuoi che ricordi... – faceva Enrico, passandosi una mano sul viso, e con estrema noia ripensava a quel punto dove lei era corsa giù fra i cespugli, e s'erano mezzo accapigliati, e rifletteva che la collana poteva benissimo esserle caduta là, e già sentiva il fastidio di dover andare a cercarla, d'esplorare palmo a palmo quell'estensione incolta. Aveva una punta di nausea. – Sta' tranquilla: è così grossa, si ritrova... Guarda in macchina... È fidato l'uomo del garage? (La macchina era la macchina di lei. Anche il garage).

– Sì. È Leone, è con noi da tanti anni.

– Telefonagli subito che guardi, allora.

– E se non c'è?

– Ritelefonami. Andrò a cercarla laggiù...

– Caro, tesoro...

– Sì.

Riappese il ricevitore. La collana. Fece un verso con le labbra. Chissà che sfilza di milioni valeva. E il marito di Umberta lasciava andare le cambiali in protesto. Una bella storia. Ne poteva nascere tutta una bella storia. Sul foglio disegnò una collana a quattro giri, e la rifinì minuziosamente, perla per perla. Doveva tenere gli occhi aperti. Nel disegno trasformò le perle in occhi, ognuno con la sua iride, la sua pupilla, le sue ciglia. Non c'era tempo da perdere. Doveva andarla a cercare per quei prati. Che gli telefonasse subito, Umberta. Figuriamoci se era nella macchina. – Continuerai da te quel lavoro – disse al disegnatore – io devo uscire di nuovo.

– Va dall'impresario? Si ricordi quella pratica...

– No, no, vado in campagna. Per fragole – e riempì con la matita la collana facendola diventare un'enorme fragola, coi sepali e il picciuolo. – Vedi, una fragola.

– Sempre a donne, ingegnere – disse il ragazzo ghignando.

– Porco – fece Enrico. Suonò il telefono. – E già, non c'era niente. Sta' calma. Adesso vado lì. L'hai raccomandato al garagista di non dir nulla? Ma nulla a lui, diamine, a coso, a sua maestà! Bene. Sì che mi ricordo del posto... Dopo ti telefono... ciao, sta' tranquilla... – riattaccò, fischiettò, indossò il soprabito, uscì, inforcò il motoscooter.

La città gli s'aperse come un'ostrica, come un limpido mare. Quando si è giovani accade andando, specialmente di corsa, per una città, di vedertela aprire tutt'a un tratto davanti, anche se è nota e richiusa ormai e così lisa da parere invisibile. È il sapore dell'avventura: l'unico che della sua giovinezza ancora conservasse Enrico, architetto scettico anzitempo.

Ecco che andare per collane perdute si rivelava divertente, non noioso come aveva tutt'a prima creduto. Forse proprio perché della collana gli importava così poco. Se la trovava bene e se no pazienza: i drammi di Umberta erano drammi da ricchi, che più grossa è la cifra in cui si valutano più ci paiono leggeri.

E poi, cos'era mai che poteva importare a Enrico? Niente al mondo. Ma questa città in cui ora correva spensierato e avventuroso, era pur stata per lui una specie di letto da fachiro, che da ogni parte buttasse l'occhio era uno strillo, un salto, un chiodo aguzzo: case vecchie, case nuove, isolati popolari o palazzi gentilizi, ruderi o impalcature di cantieri, la città era un tempo per lui una foresta di problemi:

lo Stile, la Funzione, la Società, la Misura Umana, la Speculazione Edilizia... Ora il suo sguardo passava con la stessa compiaciuta ironia storica sul neoclassico, sul liberty, sul novecento, e con l'oggettività di chi constata fenomeni naturali passava in rivista i vecchi agglomerati antigienici, i nuovi grattacieli, le officine razionali, i rosoni di muffa sui muri senza finestre; e non sentiva più quello squillo come di trombe di Gerico che una volta accompagnava i suoi passi, di lui che avrebbe colpito nella città mostruosa le colpe della borghesia, di lui che avrebbe distrutto e riedificato per un'umanità nuova. A quel tempo quando un corteo d'operai coi cartelli e col codazzo delle biciclette spinte per mano riempiva le strade verso la prefettura, Enrico gli s'univa, e sopra quella folla disadorna gli pareva si librasse, geometrica nube, l'immagine della Città Futura, bianca e verde, che lui avrebbe costruito per loro.

Era stato un rivoluzionario, a quei tempi, Enrico: aspettava che il proletariato prendesse il potere e gli affidasse la costruzione della Città. Ma il proletariato tardava a vincere, e poi pareva che non condividesse l'esclusiva passione d'Enrico per le muraglie nude e i tetti piatti. Cominciò per il giovane architetto la stagione agra e rischiosa in cui si ammaina ogni entusiasmo. Per esprimere il suo rigore stilistico, scoperse un'altra via: applicarlo a progetti di ville al mare, che proponeva, immeritato onore, ai miliardari filistei. Era anche quella una battaglia: un aggiramento, per vie interne, del nemico. Per rafforzare le sue posizioni bisognava cercar di diventare l'architetto di moda; Enrico dovette cominciare a porsi seriamente il problema del suo «treno di vita»: come faceva a girare ancora in motoscooter? Ormai non guardava più a niente se non a accaparrarsi lavori redditizi, quali che essi fossero. I piani per la Città Futura ingiallivano arrotolati negli angoli del suo studio e ogni tanto qualcuno gliene ricapitava in mano, mentre cercava un pezzo qualsiasi di carta da disegno per buttar giù, sul rovescio, un primo abbozzo d'un sopraelevamento.

Passando in motoscooter quel giorno per i quartieri della periferia, Enrico non ripigliava aire per le sue antiche riflessioni sullo squallore dei casamenti operai, ma fiutava nel vento, come un cerbiatto in cerca d'erba tenera, l'odore delle aree fabbricabili.

Appunto un'area fabbricabile aveva voluto andare a vedere, quel mattino presto, con la macchina di Umberta. Uscivano da una festa, lei era sbronza, e non voleva più tornare a casa. Portami qui, portami là, Enrico intanto già da un po' mulinava quell'idea: girare per girare tanto valeva andare a dare un'occhiata in un posto dove sapeva lui, a quell'ora in cui non c'era nessuno, per veder bene le possibilità che aveva. Era un'area di proprietà del marito di Umberta, i terreni intorno alla sua fabbrica. Enrico sperava, attraverso l'appoggio di lei, di farsi dare l'appalto per una grossa costruzione. Era stato andando laggiù, che Umberta per poco non saltava dalla macchina in corsa. Litigavano; lei faceva la sbronza più di quanto non lo fosse. – E dove mi porti adesso? – piagnucolava. Ed Enrico: – Da tuo marito. M'hai stufato. Ti riporto da lui in fabbrica.

Non vedi che stiamo andando proprio là! – Lei canticchia non si sa che, poi apre la portiera. Lui frena subito e lei salta giù. Così aveva perso la collana. Adesso, ritrovarla: una parola.

Ai suoi piedi si stendeva un pendìo incolto e cespuglioso. Sapeva d'essere nello stesso punto di quel mattino solo perché la strada polverosa e poco frequentata aveva conservato il segno della frenata dell'auto: del resto tutto il paesaggio intorno era informe e mai l'espressione catastale «terreno vago» s'era caricata nella mente d'Enrico d'un significato così preciso e sottilmente angoscioso. Mosse qualche passo intorno cacciando lo sguardo sul terreno incrostato, tra gli stecchi degli arbusti: al contatto con questo suolo misero e vile, sordo alle impronte, seminato di rifiuti, sfuggente e inconoscibile, striato d'un lucore come bava di lumaca, il gusto dell'avventura gli veniva meno, così come si contrae e rientra la disposizione d'amore in chi vien colto da un'impressione di freddo o di bruttezza o di disagio. La nausea, che a ondate l'aveva accompagnato fin dal risveglio, ora lo riprendeva.

Cominciò la sua perlustrazione già convinto che non avrebbe trovato niente. Forse avrebbe dovuto stabilire prima un metodo preciso: delimitare lo spazio in cui era probabile che Umberta si fosse mossa, suddividerlo in settori, ed esplorarli palmo a palmo. Ma tutto pareva così inutile e insicuro, che Enrico continuava a camminare disordinatamente, scostando appena i ramoscelli. Sollevando lo sguardo, vide un uomo.

Stava a mani in tasca, in mezzo al prato, coi cespugli che gli arrivavano ai ginocchi. Doveva essersi avvicinato in silenzio, non si capiva donde. Era lungo, allampanato, affilato come una cicogna; portava un vecchio berretto militare calcato in testa coi lembi del passamontagna penzolanti a orecchie di can da caccia, e una giubba pure militare, con le spalline sbrindellate. Era fermo come se l'aspettasse al varco.

Erano parecchie ore che l'aspettava, infatti: da prima ancora che Enrico sapesse di dover venire. Era il disoccupato Fiorenzo. Sbollito il primo moto di dispetto per aver visto sfuggirgli di sotto il naso quel probabile tesoro che avevano raccolto i due operai, egli s'era detto che doveva restare fermo lì. La partita non poteva ancora dirsi chiusa: se la collana era proprio preziosa, prima o poi chi l'aveva smarrita sarebbe tornato a cercarla; e sulla scia d'un tesoro c'è sempre la speranza di raccoglierne qualcosa.

L'architetto, alla vista dello sconosciuto laggiù immobile, s'era rifatto attento. Si fermò, accese una sigaretta. Enrico ricominciava a prendere interesse per quella storia. Era uno di quei tipi, Enrico, che credono d'avere un fondamento in cose e idee, e invece non hanno altra ragione di vita che i mutevoli, intricati rapporti con il prossimo; messi di fronte alla vasta natura, o al mondo sicuro degli oggetti, o all'ordine delle cose pensate, si smarriscono; e riprendono fiducia solo quando possono fiutare le mosse d'un possibile avversario o amico; così tra tanti piani l'architetto non tirava su nulla né per gli altri né per sé.

Avvistato Fiorenzo, per meglio studiare le sue mosse, Enrico continuò a cercare chino, muovendosi secondo una linea retta che lo avvicinava a lui, ma che non lo avrebbe incontrato. L'uomo, dopo un po', si mosse anche lui, in modo da attraversare il cammino d'Enrico.

Si fermarono a un passo di distanza. Il disoccupato aveva una scarna faccia da uccello chiazzata di barba incolta. Fu lui a parlare per primo.

– Cerca qualcosa? – disse.

Enrico portò la sigaretta alle labbra. Fiorenzo fumava il proprio fiato, una nuvoletta densa nel freddo dell'aria.

– Guardavo – disse vagamente Enrico, facendo un gesto intorno. Aspettava che l'altro si scoprisse. «Se ha trovato la collana» pensò – tasterà il terreno per capire quanto vale.

– L'ha persa qui? – fece Fiorenzo.

E Enrico, pronto: – Cosa?

L'altro lasciò un tempo di pausa e poi: – Quella cosa che cerca.

– Come sa che cerco qualche cosa? – fece Enrico, brusco. Era stato un momento a riflettere se conveniva apostrofarlo col «tu» intimidatorio che usa la polizia con la gente malvestita o col «lei» della formale e egualitaria urbanità cittadina; aveva deciso che il «lei» dava meglio quel tono tra di pressione e di trattative col quale voleva impostare i suoi rapporti.

L'uomo rifletté un poco, mandò fuori un altro po' di fiato, si girò e fece per andarsene.

«Si ritiene il più forte – pensò Enrico – l'avrà

trovata davvero?». Certo, ora lo sconosciuto s'era messo in posizione di vantaggio: toccava a Enrico stargli dietro. Chiamò: – Ehi! – e tese il pacchetto delle sigarette. L'uomo si voltò. – Fuma? – chiese Enrico, col pacchetto teso, ma senza muoversi. L'uomo tornò indietro di qualche passo, prese una sigaretta dal pacchetto, e nello sforzo di tirarla fuori con le unghie sbuffò qualcosa che poteva anche essere un grazie. Enrico rimise il pacchetto in tasca, tirò fuori l'accendino, lo provò, fece accendere la sigaretta all'uomo lentamente.

– Mi dica cosa cerca lei, prima – disse – e poi le risponderò.

– Erba – fece l'uomo, e indicò un cestino posato sull'orlo della strada.

– Per i conigli?

Avevano risalito il pendìo. L'uomo prese in mano il cestino. – Per mangiare noi – fece e s'avviò per la strada. Enrico salì sul motoscooter e avviatolo lentamente si pose al suo fianco.

– Così, lei si fa il suo giro per erba tutte le mattine da queste parti, no? – e voleva arrivare a dire: «È un po' il tuo regno questo, no? Sono posti dove non può cader foglia senza che tu te ne accorga!». Ma Fiorenzo lo prevenne: – Sono posti di tutti – disse.

Era chiaro che aveva capito il suo gioco, e, avesse trovato o no la collana, non si sarebbe sbottonato. Enrico decise di scoprire le carte: – Stamattina è stato perso un oggetto proprio lì– disse, fermandosi. – L'ha trovato lei? – e tacque aspettando che l'altro chiedesse: – Che oggetto? – Lo chiese, difatti, ma prima era rimasto a pensarci un po' sopra; un po' troppo.

– Una collana – fece Enrico storcendo il labbro con l'aria di chi accenna a cose poco importanti; e nello stesso tempo fece un gesto come chi tende da una mano all'altra un cordino, un fiocchetto, una catenina da bambino. – È un ricordo, ci teniamo. Quindi me la dia, io glie la pago – e accennò a mettere mano al portafoglio.

Il disoccupato Fiorenzo avanzò una mano come per dire: «Io non l'ho»; ma si guardò dal dirlo, e restò con la mano protesa dicendo, invece: – È un lavoro duro, cercare una cosa là in mezzo... ci vorranno diverse giornate. Il prato è grande. Possiamo cominciare a vedere, intanto...

Enrico riappoggiò le mani al manubrio. – Credevo che l'avesse già trovata. Peccato. Pazienza. Mi dispiace per lei soprattutto.

Il disoccupato buttò via la cicca. – Mi chiamo Fiorenzo – disse – possiamo metterci d'accordo.

– Sono l'architetto Enrico Pré. Ero sicuro che avremmo cominciato a far sul serio.

– Possiamo metterci d'accordo – ripeté Fiorenzo – un tanto a giornata; e poi un tanto alla consegna dell'oggetto, quando sarà.

Enrico girò il busto quasi di scatto, e ancora muovendosi non sapeva se l'avrebbe afferrato per la giubba, o se voleva solo saggiarne ancora una volta le reazioni. Fatto sta che Fiorenzo si fermò senza accennare a difendersi, tendendo in una ironica aria di sfida il suo viso d'uccello spennato. E a Enrico parve impossibile che nelle tasche di quella giubba striminzita e sgonfia potessero esserci quattro fili di perle: se l'uomo sapeva qualcosa della collana, chissà dove l'aveva nascosta.

– E quanto vuoi starci, a rastrellare quel prato? – chiese. Era passato al tu.

– E chi le dice che sia ancora nel prato? – fece Fiorenzo.

– Se non è nel prato è a casa tua.

– Casa mia è quella – disse l'uomo, e indicò fuori strada. – Venga.

Dove i primi sparsi casamenti della periferia si voltano la schiena tra i prati nebbiosi, là era il termine dei pascoli di Fiorenzo. E prossima al confine, come di solito si situano le capitali dei regni più lontani, era la sua casa. A formarla avevano concorso molte vicende e cataclismi storici: le basse pareti in muratura mezzo diroccate erano d'un'antica scuderia militare, poi abolita per il declino dell'arma equestre; il gabinetto alla turca e un'indelebile scritta murale provenivano da una successiva utilizzazione ad armeria dei premilitari; una finestra a inferriata derivava dal sinistro uso di prigione cui era stata adibita in tempo di guerra civile; e per snidarne l'ultimo plotone d'armigeri era occorso quell'incendio che l'aveva quasi distrutta; il pavimento e le tubature appartenevano all'epoca in cui era stata accampamento di sinistrati prima, e poi di profughi; in seguito un prolungato saccheggio invernale di legna da ardere, tegole e mattoni l'avevano di nuovo smantellata; finché ci giunse con i materassi e i mobili, sfrattata dall'ultimo alloggio, la famiglia di Fiorenzo. Metà del tetto infine era stato sostituito da una vecchia saracinesca contorta da uno scoppio, trovata lì nei pressi. Così, Fiorenzo, sua moglie Ines e i quattro figli viventi riebbero una casa in cui poter appendere ai muri i ritratti dei parenti e le bollette della tassa di famiglia, e attendere la nascita del loro quintogenito con qualche speranza che sopravvivesse.

Se l'aspetto della casa non poteva dirsi molto migliorato dal giorno in cui la famiglia vi s'era installata, era perché lo spirito di Fiorenzo nell'abitarla pareva più simile a quello del primitivo che s'intana in una grotta naturale, che a quello dell'industre naufrago o pioniere, che s'adopera a far rivivere attorno a sé qualcosa della civiltà lasciata in patria. Di civiltà Fiorenzo ne aveva intorno tutta quella che poteva desiderare, ma essa gli era nemica e proibita. Dopo il licenziamento, presto disimparato quel po' di mestiere in cui era riuscito in qualche modo a qualificarsi – quello di lucidatore di tubi di rame – appesantitaglisi la mano in un lavoro di manovale che anche quello durò poco, tagliato fuori da un giorno all'altro – con la famiglia sulle braccia – dal gran giro della circolazione del denaro, aveva fatto presto a risalire il corso della storia: ormai, persa l'idea che le cose necessarie si costruiscono, si coltivano, si fanno, teneva conto solo di ciò che si può raccogliere o cacciare.

La città era diventata per Fiorenzo un mondo del quale egli non poteva far parte, così come il cacciatore non pensa di diventare foresta, ma solo di strapparle una preda selvatica, una bacca matura, un riparo per la pioggia. Così per il disoccupato la ricchezza della città era nei torsoli di cavolo che restano sul selciato dei mercati rionali quando si smontano i banchi; nelle erbe eduli che guarniscono i binari delle tramvie interurbane; nel legno delle panchine pubbliche che si possono segare pezzo a pezzo per bruciare nella stufa; era nei gatti che a notte, innamorati, s'inoltravano nei terreni demaniali e non ne facevano ritorno. Esisteva per lui tutta una città buttata via, di seconda o terza mano, semisepolta, escrementizia, fatta di scarpe sfondate, di cicche, di stecche d'ombrello. E giù giù al livello di queste impolverate ricchezze pure si trovava ancora un mercato, con le domande e le offerte, le speculazioni, le incette. Fiorenzo vendeva bottiglie vuote, stracci, pelli di gatto, e così riusciva a dare ancora qualche fuggevole beccata nella circolazione monetaria. L'attività più faticosa ma più redditizia era quella degli scopritori di miniere, che scavano la terra d'un dirupo sotto una certa fabbrica cercando rottami ferrosi tra i rifiuti della lavorazione, e talvolta sterrano in un giorno tanti chili di ferro per trecento lire. La città aveva irregolari stagioni e vendemmie: dopo le elezioni c'erano tutti i muri ricoperti di strati di manifesti da staccare scaglia a scaglia col diligente e rabbioso raspo d'un vecchio coltello; i bambini aiutavano anche loro e riempivano i sacchi di brandelli multicolori che venivano pesati dalle avare stadere dei mercanti di cartaccia.

In queste ed altre spedizioni seguivano Fiorenzo i due bambini più grandi. Cresciuti in quella vita non ne supponevano altre possibili, e correvano per la periferia selvatici e voraci, fratelli ai topi con cui spartivano cibi e giochi. Invece Ines s'era fatta una mentalità da leonessa; non si muoveva dal covo, leccava l'ultimo nato, aveva perso l'abitudine domestica dell'aggiustare e del tener pulito, si gettava avida sul bottino che portavano a casa l'uomo e i figli, aiutava talora a renderlo commerciabile scucendo i pezzi di tomaia da vendere per toppe ai ciabattini o sgrumando il tabacco delle cicche; e s'era fatta, pur nella fame, grassa e tozza, e, a suo modo, tranquilla. L'altro mondo, quello delle calze e dei cinema, non la chiamava più, dai cartelloni che ormai per lei non raffiguravano più nulla d'intelligibile, ma solo enormi rebus indecifrabili. La fotografia di lei con Fiorenzo vestita di velo bianco il giorno delle nozze, cui continuava ogni giorno a spolverare il vetro, non sapeva più se era sua o di una sua bisnonna. I reumatismi le avevano portato l'abitudine di stare sempre coricata anche quando non aveva male. A letto in pieno giorno nella casa sgangherata, col bambino accanto, guardava il cielo spesso e nebbioso e si metteva a cantare un vecchio tango. Così Enrico, avvicinandosi al tugurio, sentì cantare: capiva sempre meno.

Con occhio esperto osservò l'inclinazione del tetto ondulato, gli spigoli irregolari delle pareti marezzate dai segni dell'incendio. Certe trovate, in una villa al mare avrebbero fatto il loro effetto. Doveva tenerlo a mente. Si ricordò un suo discorso d'una volta, a un congresso d'urbanistica: – Non è dal palazzo ma dal tugurio, colleghi, che noi ci muoveremo per il nostro cammino...

La gran bonaccia delle Antille

Dovevate sentire mio zio Donald, che aveva navigato con l'ammiraglio Drake, quando attaccava a raccontare una delle sue avventure.

– Zio Donald, zio Donald! – gli gridavamo nelle orecchie, quando vedevamo il guizzo d'uno sguardo affacciarsi di tra le sue palpebre perennemente socchiuse, – raccontateci come andò quella volta della gran bonaccia delle Antille!

– Eh? Ah, bonaccia, sì, sì, la gran bonaccia... – cominciava lui, con voce fioca. – Eravamo al largo delle Antille, procedevamo a passo di lumaca, sul mare liscio come l'olio con tutte le vele spiegate per acchiappare un qualche raro filo di vento. Ed ecco che ci troviamo a tiro di cannone da un galeone spagnolo. Il galeone stava fermo, noi ci fermiamo pure, e lì, in mezzo alla gran bonaccia, prendiamo a fronteggiarci. Non potevamo passare noi, non potevano passare loro. Ma loro, a dire il vero, non avevano nessuna intenzione d'andare avanti: erano lì apposta per non lasciar passare noi. Noialtri invece, flotta di Drake, avevamo fatto tanta strada non per altro che per non dar tregua alla flotta spagnola e togliere da quelle mani di papisti il tesoro della Grande Armada, e consegnarlo in quelle di Sua

Graziosa Maestà Britannica la Regina Elisabetta. Però ora, di fronte ai cannoni di quel galeone, con le nostre poche colubrine non potevamo reggere, e così ci guardavamo bene dal far partire un colpo. Eh, sì, ragazzi, tali erano i rapporti di forza, voi capite. Quei dannati del galeone avevano provviste d'acqua, frutta delle Antille, rifornimenti facili dai loro porti, potevano stare lì quanto volevano: anche loro però si trattenevano dallo sparare, perché per gli ammiragli di Sua Maestà Cattolica quella guerricciuola con gli Inglesi così come stava andando era proprio quel che ci voleva, e se le cose si mettevano diversamente, per una battaglia navale vinta o persa, tutto l'equilibrio andava all'aria, certo ci sarebbero stati dei cambiamenti, e loro di cambiamenti non ne volevano. Così passavano i giorni, la bonaccia continuava, noi continuavamo a star qua e loro là, immobili al largo delle Antille...

– E come andò a finire? Diteci, zio Donald! – facemmo noi, vedendo che il vecchio lupo di mare già piegava il mento sul petto e riprendeva a sonnecchiare.

– Ah? Sì, sì, la gran bonaccia! Settimane, durò. Li vedevamo coi cannocchiali, quei rammolliti di papisti, quei marinai da burla, sotto gli ombrellini con le frange, il fazzoletto tra il cranio e la parrucca per detergere il sudore, che mangiavano gelati di ananasso. E noi, che eravamo i più valenti marinai di tutti gli oceani, noi che avevamo per destino di conquistare alla Cristianità tutte le terre che vivevano nell'errore, noi ce ne dovevamo star lì con le mani in mano, pescando alla lenza dalle murate, masticando tabacco. Da mesi eravamo in rotta sull'Atlantico, le nostre scorte erano ridotte all'estremo e avariate, ogni giorno lo scorbuto si portava via qualcuno, che piombava in mare in un sacco mentre il nostromo borbottava in fretta due versetti della Bibbia. Di là, sul galeone, i nemici spiavano col cannocchiale ogni sacco che sprofondava in mare, e facevano segni con le dita come affaccendati a contare le nostre perdite. Noi inveivamo contro di loro: ce ne voleva prima di darci tutti morti, noialtri che eravamo passati attraverso tanti uragani, altro che quella bonaccia delle Antille...

– Ma una via d'uscita, come la trovaste, zio Donald?

– Cosa dite? Via d'uscita? Mah, ce lo domandavamo di continuo, per tutti i mesi che durò la bonaccia... Molti dei nostri, specie tra i più vecchi e i più tatuati, dicevano che noi eravamo sempre stati una nave da corsa, buona per azioni rapide, e ricordavano i tempi in cui le nostre colubrine sguarnivano delle alberature le più potenti navi spagnole, aprivano falle nelle murate, giostravano con brusche virate... Ma sì, nella marineria di corsa, certo eravamo stati bravi, ma allora c'era il vento, si andava svelto... Adesso, in quella gran bonaccia, questi discorsi di sparatorie e d'abbordaggi erano solo un modo di trastullarci aspettando chissacché; una levata di libeccio, un fortunale, addirittura un tifone... Perciò gli ordini erano che non dovessimo neanche pensarci, e il capitano aveva spiegato che la vera battaglia navale era quello star lì fermi guardandoci, tenendoci pronti, ristudiando i piani delle grandi battaglie navali di Sua Maestà Britannica, e il regolamento del maneggio delle vele e il manuale del perfetto timoniere, e le istruzioni per l'uso delle colubrine, perché le regole della flotta dell'ammiraglio Drake restavano in tutto e per tutto le regole della flotta dell'ammiraglio Drake: se si cominciava a cambiare non si sapeva dove...

– E poi, zio Donald? Ehi, zio Donald! Come riusciste a muovervi?

– Uhm... Uhm... cosa vi dicevo? Ah sì, guai se non si teneva la più rigida disciplina e obbedienza alle regole nautiche. Su altre navi della flotta di Drake c'erano stati cambiamenti ufficiali e anche ammutinamenti, sommosse: si voleva ormai un altro modo di andar per i mari, c'erano semplici uomini della ciurma, marinai di quarto e pure mozzi che ormai s'erano fatti esperti e avevano da dir la loro sulla navigazione... Questo i più degli ufficiali e quartiermastri ritenevano il pericolo più grave, perciò guai se sentivano in aria discorsi di chi voleva ristudiare da capo il regolamento navale di Sua Maestà Elisabetta. Niente, dovevamo continuare a ripulire le spingarde, lavare il ponte, assicurarci del funzionamento delle vele, che pendevano flosce nell'aria senza vento, e nelle ore libere delle lunghe giornate, sulla tolda lo svago ritenuto più sano erano i soliti tatuaggi sul petto e sulle braccia, che inneggiavano alla nostra flotta dominatrice dei mari. E nei discorsi, si finiva per chiudere un occhio su quelli che non riponevano altra speranza che in un aiuto del cielo, come un uragano che magari ci avrebbe mandato a picco tutti, amici e nemici, piuttosto che quelli che volevano trovare un modo per muovere la nave nella condizione presente... Capitò che un gabbiere, certo Slim John, non so se il sole in testa gli avesse fatto male o che cos'altro, fatto sta che cominciò a trastullarsi con una caffettiera. Se il vapore solleva il coperchio della caffettiera, – diceva questo Slim John, – allora anche la nostra nave, se fosse fatta come una caffettiera, potrebbe andare senza vele... Era un discorso un po' sconnesso, bisogna dire, ma forse, studiandoci ancora sopra, se ne poteva ricavare qualche costrutto. Macché: gli buttarono in mare la caffettiera e poco mancò che ci buttassero anche lui. Queste storie di caffettiere, presero a dire, erano poco meno che idee da papisti... è in Spagna che si costuma il caffè e le caffettiere, non da noi.. Mah, io non ne capivo nulla, ma purché si muovessero, con quello scorbuto che continuava a falciar gente...

– E allora, zio Donald, – esclamammo noi, gli occhi lucidi d'impazienza, prendendolo per i polsi e scuotendolo, – sappiamo che vi salvaste, che sgominaste il galeone spagnolo, ma spiegateci come avvenne, zio Donald!

– Ah, sì, anche là nel galeone, mica che fossero tutti della stessa idea, manco per sogno! Lo si vedeva, osservandoli col cannocchiale, anche lì c'erano quelli che volevano muoversi, gli uni contro di noi a cannonate, altri che avevano capito che non c'era altra via che affiancarsi a noi, perché il prevalere della flotta d'Elisabetta avrebbe fatto rifiorire i traffici da tempo languenti... Ma anche lì, gli ufficiali dell'ammiragliato spagnolo non volevano che si muovesse nulla, per carità! Su quel punto, i capi della nostra nave e quelli della nave nemica, pur odiandosi a morte, andavano proprio d'accordo. Cosicché, la bonaccia non accennando a finire, si prese a lanciare dei messaggi, con le bandierine, da una nave all'altra, come si volesse aprire un dialogo. Ma non si andava più in là d'un: Buon giorno! Buona sera! Neh, che fa bel tempo! e così via...

– Zio Donald! Zio Donald! Non riaddormentatevi, per carità! Diteci come riuscì a muoversi la nave di Drake!

– Ehi, ehi, non sono mica sordo! Capitemi, fu una bonaccia che nessuno s'aspettava durasse tanto addirittura per degli anni, là al largo delle Antille, e con un'afa, un cielo pesante, basso, che pareva fosse lì lì per scoppiare in un uragano. Noi stillavamo sudore, tutti nudi, arrampicati su per le sartie, cercando un po' d'ombra sotto le vele avvoltolate. Tutto era così immobile, che anche quelli di noi che erano più impazienti di cambiamenti e di novità, stavano immobili anche loro, uno in cima all'albero di parrocchetto, un altro sulla randa di maestra, un altro ancora cavalcioni del pennone, appollaiati lassù a sfogliare atlanti o carte nautiche...

– E allora, zio Donald! – ci buttammo in ginocchio ai suoi piedi, lo supplicavamo a mani giunte, lo scuotevamo per le spalle, urlando.

– Diteci come andò a finire, in nome del cielo! Non possiamo più aspettare! Continuate il vostro racconto, zio Donald!

Nota 1979

Ho riletto *La gran bonaccia delle Antille*. Forse è la prima volta che rileggevo questo mio racconto, da allora. Non lo trovo invecchiato, e non solo perché si regge come racconto in sé, indipendentemente dall'allegoria politica, ma anche perché il contrasto paradossale tra lotta accanita e immobilità forzata è una situazione tipica, tanto politico-militare quanto epico-narrativa, antica almeno quanto l'Iliade, e viene naturale riferirla alla propria esperienza storica. Come allegoria politica italiana, a pensare che sono passati ventidue anni e che i due galeoni sono sempre lì che si fronteggiano, l'immagine diventa ancor più angosciosa. Certo questi ventidue anni non sono stati affatto d'immobilismo per la società italiana, che si è trasformata più che nei cent'anni precedenti. E l'epoca in cui viviamo non si può certo definire una «bonaccia». In questo senso non si può proprio dire che la metafora corrisponda più alla situazione; ma – attenzione! – anche allora solo con una certa forzatura si poteva parlare di bonaccia: erano anni d'una tensione sociale dura, di lotte rischiose, di discriminazioni, di drammi collettivi e individuali. La parola «bonaccia» ha un suono bonaccione che non ha niente a che fare col clima d'allora né con quello d'adesso; ma sì ha a che fare l'atmosfera greve, minacciosa, snervante delle bonacce oceaniche per i bastimenti a vela come le rappresentano i romanzi di Conrad e di Melville, da cui evidentemente deriva il mio racconto. Dunque la fortuna che ebbe quella mia metafora nella pubblicistica politica italiana si spiega col fatto che essa dice qualcosa di più d'un qualsiasi termine del linguaggio politico, per esempio «immobilismo». È l'impasse in una situazione di lotta, d'antagonismo inconciliabile, a cui corrisponde un immobilismo all'interno dei due campi: immobilismo connaturato al campo «spagnolo», in quanto coincide coi loro programmi e i loro fini; mentre in campo «pirata» c'è la contraddizione tra la vocazione per la «guerra di corsa» con relativa ideologia («le regole della flotta dell'ammiraglio Drake») e una situazione in cui ricorrere a cannoneggiamenti e abbordaggi oltre che impossibile sarebbe controproducente, suicida... Nel racconto non proponevo soluzioni – così come non saprei proporne adesso – ma tracciavo una specie di catalogo degli atteggiamenti possibili. C'erano i due stati maggiori antagonisti, accomunati nella volontà di mantenere la situazione col minimo di cambiamenti possibili (per motivi opposti ma tutt'altro che privi di fondamento), all'interno delle rispettive navi soprattutto, e all'esterno nell'equilibrio delle forze. (Su questo punto, certo, cambiamenti non si può negare che ce ne sono stati, soprattutto nel PC e nella sinistra in genere, ma anche nella DC, se non altro per decozione). Poi c'erano i fautori dello scontro, da una parte e dall'altra, spinti da motivazioni più temperamentali che strategiche; e i fautori del dialogo, da una parte e dall'altra. (Lo sviluppo di queste due polarità corrisponde a quanto si è verificato nella realtà, sia come politica delle grandi intese sia come pressione rivoluzionaria, sempre senza spostare di molto la situazione ma comunque dando l'illusione dell'attività). C'è anche la prospettiva apocalittica («un uragano che magari ci avrebbe mandato a picco tutti»), allusione alle discussioni sulla prospettiva d'una guerra atomica, che proprio allora dividevano i sovietici che la presentavano come la fine della civiltà, dai cinesi che tendevano a minimizzarne i pericoli. Pure caratteristico del momento in cui il racconto è stato scritto è il richiamo allo sviluppo tecnologico da cui allora si sperava venisse una soluzione (si parlava molto di «automazione» come di qualcosa che avrebbe cambiato radicalmente i dati del problema). Ma l'invenzione della macchina a vapore che io evocavo, forse è rimasta allo stadio del pirata che gioca con la caffettiera.

Qualche precisazione «storica»: non posso stabilire ora la data esatta in cui scrissi il racconto; ricordo che il numero di «Città aperta» tardò molto a uscire, quindi il racconto è databile alcuni mesi prima, quando ancora ero nel caldo delle discussioni interne per il rinnovamento del PCI. All'interno del mondo impegnato in questo dibattito, il mio racconto trovò subito consensi tra i fautori d'un revisionismo tanto di destra quanto di sinistra: sia «rivoluzionari» che «riformisti» vi ve-

131

devano le proprie ragioni; ma bisogna dire che allora i due campi non erano sempre chiaramente delineati. Quando il numero di «Città aperta» uscì il mio racconto fu ripreso sull'«Espresso» ed ebbe una diffusione generale. L'«Avanti» gli dedicò un articolo di fondo. In seguito un foglio d'estrema sinistra «Azione comunista» pubblicò una parodia del racconto, legandolo a situazioni e persone precise. A questa parodia, e sullo stesso tono di polemiche personali, rispose con un'altra parodia Maurizio Ferrara su «Rinascita» firmandosi «Little Bald». Ma intanto, nell'estate 1957, c'erano state le mie dimissioni dal PC, e la *Gran bonaccia* fu considerata una specie di messaggio che accompagnava le mie dimissioni, cosa che non era perché apparteneva a una fase precedente.

La tribù con gli occhi al cielo

Le notti sono belle e il cielo estivo è attraversato dai missili.

La nostra tribù vive in capanne di paglia e fango. La sera, tornati dalla raccolta delle noci di cocco, stanchi, ci mettiamo sulle soglie, chi seduto sui calcagni, chi su una stuoia, con intorno i bambini dai buzzi rotondi come palloni che giocano per terra, e contempliamo il cielo. Da molto tempo, forse da sempre, gli occhi della nostra tribù, questi nostri poveri occhi infiammati dal tracoma, sono puntati al cielo: ma specialmente da quando per la volta stellata sopra il nostro villaggio trascorrono nuovi corpi celesti: aerei a reazione dalla scia biancastra, dischi volanti, proiettili razzo, e adesso questi missili atomici telecomandati, tanto alti e veloci che nemmeno più si vedono o si odono, ma solo, stando bene attenti, si può cogliere nel brillio della Croce del Sud come un brivido, un singhiozzo, e allora i più esperti dicono: «Ecco, è passato un missile a ventimila chilometri all'ora; un po' più lento, se non sbaglio, di quello che è passato giovedì».

Ora, da quando c'è in aria questo missile, tanti di noi sono stati presi da una strana euforia. Alcuni degli stregoni del villaggio, infatti, hanno fatto capire, sotto sotto, che scaturendo questo bolide di là dal Kilimangiaro, è esso il segno annunciato dalla Grande Profezia, e perciò l'ora promessaci dagli Dei s'avvicina, e dopo secoli di servitù e miseria la nostra tribù regnerà su tutta la valle del Gran Fiume, e la savana incolta darà sorgo e mais. Quindi – paiono questi stregoni sottintendere – non si stia ad almanaccare nuovi sistemi per uscire dalla nostra situazione; confidiamo nella Grande Profezia, stringiamoci attorno ai suoi soli retti interpreti, senza chiedere di più.

Va detto però che, anche se siamo una povera tribù di raccoglitori di noci di cocco, siamo ben informati su tutto quello che succede: un missile atomico sappiamo cos'è, come funziona, quanto costa; sappiamo che non saranno soltanto le città dei sahib bianchi a esser falciate come campi di sorgo, ma che per poco che si mettano a spararli davvero, quelli ti riducono tutta la crosta della terra crepata e spugnosa come un termitaio. Che il missile sia un'arma diabolica non lo dimentica mai nessuno, neanche quegli stregoni; anzi, continuano, secondo l'insegnamento degli Dei, a lanciare maledizioni contro di esso. Però, questo non toglie che sia comodo considerarlo anche in senso buono, come il bolide della profezia; magari non soffermandoci troppo il pensiero, ma solo lasciando nel cervello uno spiraglio aperto a quella possibilità, anche perché di lì ogni altra preoccupazione se ne esce.

Il guaio è che – l'abbiamo visto già diverse volte – dopo un po' che nel cielo del nostro villaggio è apparsa una qualche diavoleria che proviene di là del Kilimangiaro come vuole la profezia, ecco che ne appare un'altra dalla parte opposta, ancora peggio, e fila via, e là oltre la cresta del Kilimangiaro va a sparire: segno infausto, dunque, e le speranze dell'approssimarsi della Grande Ora si deludono. Così, con alterni sentimenti, scrutiamo il cielo sempre più armato e micidiale, come un tempo leggevamo il destino nel sereno corso degli astri o di vaganti comete.

Nella nostra tribù non si discute ormai d'altro che di razzi teleguidati, e intanto continuiamo ad andare armati di rozze asce e lance e cerbottane. Perché preoccuparcene? Siamo l'ultimo villaggio al margine della giungla. Non cambierà nulla qui da noi, prima dello scoccare della Grande Ora dei profeti.

Eppure anche qui, non è più il tempo in cui a comprare noci di cocco arrivava ogni tanto un mercante bianco in piroga, e alle volte ci truffava sul prezzo, alle volte eravamo noi a fargliela in barba; adesso c'è la «Coccobello Corporation» che compra tutto il raccolto in blocco e impone i prezzi, e noi siamo obbligati a raccogliere noci a ritmi accelerati, con squadre che s'alternano giorno e notte, per raggiungere la produzione prevista dal contratto.

Ciononostante c'è tra noi chi dice che i tempi promessi dalla Grande Profezia sono più maturi che mai, e non per via dei presagi celesti ma perché i miracoli annunciati dagli Dei ormai sono altrettanti problemi tecnici che solo noi potremmo risolvere, e non la «Coccobello Corporation». E già: dicono niente! Intanto, valla a toccare la «Coccobello»! I suoi agenti, nei loro uffici dei docks sul Gran Fiume, con le gambe sul tavolo e il bicchiere di whisky in mano, pare abbiano solo paura che questo missile nuovo sia più grosso di quell'altro, insomma non parlano d'altro neanche loro. C'è coincidenza, in questo, tra ciò che dicono loro e ciò che dicono gli stregoni: è nella potenza dei bolidi celesti che risiede tutto il nostro destino!

Anch'io, seduto sulla soglia della capanna, guardo stelle e razzi apparire e sparire, penso alle esplosioni che avvelenano i pesci nel mare, e agli inchini che si scambiano, tra un'esplosione e l'altra, quelli che decidono le esplosioni. Vorrei capire di più: certo i voleri degli Dei si manifestano in questi segni, e v'è racchiusa anche la rovina o la fortuna della nostra tribù... Però un'idea ho in testa che nessuno mi leva: che una tribù che s'affida solo al volere dei bolidi celesti, per bene che le vada, continuerà sempre a vendere le sue noci di cocco sottocosto.

Monologo notturno di un nobile scozzese

La candela minaccia continuamente di spegnersi per il soffio d'aria che spira dalla finestra. Ma io non posso lasciare che il buio e il sonno invadano la stanza, e la finestra debbo tenerla aperta per sorvegliare la brughiera che in questa notte senza luna è un'informe distesa d'ombre. Non c'è nessuna luce di fiaccole o lanterne, almeno per due miglia, è sicuro, né si sente altro rumore che il verso del gallo cedrone, e i passi della sentinella sugli spalti del nostro castello. Una notte come tante altre, ma l'assalto dei Mac Dickinson potrebbe coglierci prima dello schiarire dell'alba. Debbo passare la notte vegliando e riflettendo alla situazione in cui ci troviamo. Ora è poco è salito da me Dugald, il più vecchio e fedele tra i miei uomini, e m'ha esposto il suo caso di coscienza: egli è membro della Chiesa episcopale, come gran parte dei contadini di questa regione, e il suo vescovo ha imposto a tutti i fedeli di parteggiare per la famiglia Mac Dickinson, proibendo d'impugnar le armi per qualsiasi altro clan. Noi Mac Ferguson apparteniamo alla Chiesa presbiteriana, ma per vecchia tradizione di tolleranza non facciamo questione di religione tra la nostra gente. Ho risposto a Dugald che lo lasciavo libero d'agire secondo la sua coscienza e la sua fede, ma non ho potuto trattenermi dal ricordargli quanto egli e i suoi debbano alla nostra famiglia. Ho visto allontanarsi quel rude soldato coi bianchi baffi stillanti lacrime. Non so ancora cos'abbia deciso. È inutile nascondercelo: la secolare contesa tra la nostra famiglia Mac Ferguson e il clan dei Mac Dickinson sta per sboccare in una guerra di religione.

Dal tempo dei tempi i clan dell'altipiano regolano i conti tra loro nel rispetto delle vecchie buone usanze scozzesi: ogni volta che ci è possibile vendichiamo l'assassinio dei nostri parenti assassinando membri delle famiglie rivali e cerchiamo a vicenda di occupare o devastare territori e castelli altrui, ma la ferocia delle guerre di religione aveva finora risparmiato questo lembo della Scozia. Sì, certo, tutti sappiamo che la Chiesa episcopale ha sempre appoggiato apertamente la famiglia Mac Dickinson, e se oggi queste povere terre dell'altopiano sono funestate dai saccheggi dei Mac Dickinson più che dalla grandine, lo dobbiamo al fatto che qui il clero episcopale ha sempre fatto la pioggia o il beltempo. Ma fino al giorno in cui il maggior nemico dei Mac Dickinson e dell'Episcopato sono stati i Mac Connolly, che essendo seguaci della perniciosa setta metodista hanno l'idea che si debba perdonare ai contadini che non pagano gli affitti e via di questo passo si debba finire per distribuire terre e averi ai poveri, tutti noi dei clan nemici dei Mac Dickinson abbiamo preferito chiudere un occhio. Da tutti i pulpiti episcopali, i ministri durante il servizio promettevano l'inferno ai Mac Connolly e a chiunque avesse portato le loro armi o solamente servito la loro casata, e noialtri Mac Ferguson, o Mac Stewart, o Mac Burton, buone famiglie presbiteriane, lasciavamo fare. Certo, i Mac Connolly ci avevano la loro parte di responsabilità, in questo stato di cose. Non erano forse stati loro, quando il loro clan era ben più potente di adesso, a riconoscere al clero episcopale i vecchi privilegi delle decime sui nostri territori? Perché lo fecero? Perché – dissero loro – secondo la loro religione le cose importanti non erano quelle (formalità o poco di più) ma altre, più sostanziali; o perché – dicemmo noi – credevano di saperne una più del diavolo, quei dannati metodisti, e di farla in barba a tutti. Fatto sta che male loro ne incolse, in capo a pochi anni. Noi, da parte nostra, non possiamo certo alzar la voce. Eravamo alleati coi Mac Dickinson, allora, badavamo a rafforzare la potenza del loro clan, perché erano i soli a poter tener testa ai Mac Connolly e alle loro famigerate idee sui tributi dei raccolti d'avena. E quando vedevamo in mezzo a una piazza di paese un uomo dei Mac Connolly messo dagli episcopali col cappio al collo come creatura del demonio, non voltavamo i nostri cavalli perché erano faccende che non ci riguardavano.

Adesso che la gente dei Mac Dickinson spadroneggia in ogni villaggio e in ogni osteria con prepotenze e abusi, e nessuno può più girare per le strade maestre di Scozia se non ha le striscie coi loro colori sulla gonnella, ecco che la Chiesa episcopale s'è messa a lanciare anatemi contro di noi, famiglie di retta fede presbiteriana e a sobillarci contro i nostri contadini e financo le nostre cuoche. Si sa a che cosa mirano: ad allearsi magari coi clan dei Macduff o dei Mac Cockburn, vecchi fautori di re Giacomo Stuart, papisti o giù di lì, tirandoli fuori dai loro castelli della montagna, dove s'erano ridotti tra le capre, a vivere ormai come banditi.

Sarà la guerra di religione? Ma non c'è nessuno, neppure gli episcopali più bigotti, che creda che battersi per quei mangiabistecche dei Mac Dickinson, capaci di bere pinte di birra anche di domenica, equivalga a battersi per la fede. Come la mettono, allora? Magari pensano che questo entri nei disegni di Dio, come la cattività in Egitto. Però alla progenie di Isacco non fu chiesto di battersi per i Faraoni, anche se Dio voleva che sotto a quelli essi lungamente soffrissero! Noi Mac Ferguson, se guerra di religione ci sarà, l'accetteremo come una prova per rafforzare la nostra fede. Ma sappiamo che su questa costa i fedeli della giusta Chiesa di Scozia sono una eletta minoranza, e potrebbero essere da Dio – che Egli non voglia! – scelti per il martirio. Ho ripreso in mano la Bibbia, che in questi mesi di frequenti scorrerie nemiche avevo un po' trascurato, e vado sfogliandola al lume della candela, pur senza perder d'occhio laggiù la brughiera dove ora passa il fruscio del vento, come sempre poco prima dell'alba. No, non mi ci raccapezzo; se Dio si metterà di mezzo nelle nostre questioni familiari scozzesi – e in caso di una guerra di religione, dovrà pur occuparsene – chissà cosa andrà a succedere; ognuno di noi ha i suoi interessi e i suoi peccati, i Mac Dickinson più di tutti, e la Bibbia è lì a spiegarci che Dio ha sempre un altro scopo da raggiungere da quello che gli uomini si aspettano.

Forse abbiamo peccato proprio in questo, perché ci siamo sempre rifiutati di considerare le nostre guerre come guerre di religione, illudendoci che così potessimo arrangiarci meglio a far compromessi quando ci faceva comodo. C'è troppo spirito d'accomodamento in questa parte della Scozia, non c'è clan che non si batta senza secondi fini. Che il nostro culto s'amministri attraverso la gerarchia di questa o quella chiesa, o nella comunità dei fedeli, o nel fondo delle nostre coscienze, non ci ha mai importato abbastanza.

Ecco, vedo laggiù, al limite della brughiera, un addensarsi di fiaccole. Anche le nostre sentinelle le hanno scorte: sento il piffero suonare le note dell'allarme, dall'alto della torre. Come andrà la battaglia? Tutti forse stiamo per scontare il nostro peccato: non abbiamo avuto abbastanza il coraggio d'essere noi stessi. La verità è che, tra tutti noi presbiteriani episcopali metodisti, non c'è nessuno in questa parte della Scozia che creda in Dio: nessuno dico, nobili o clero o fittavoli o servi, che creda davvero in quel Dio di cui ha sempre il nome sulle labbra. Ecco, le nuvole impallidiscono a oriente. Olà, voi, svegliatevi! Presto, sellatemi il cavallo!

Una bella giornata di marzo

La cosa che mi turba di più in quest'attesa – ci siamo tutti ormai, qui sotto i portici del Senato, ognuno ai suoi posti, Metello Cimbro con la supplica che gli deve porgere, Casca dietro a lui che darà il primo colpo, Bruto laggiù sotto la statua di Pompeo, ed è quasi l'ora quinta, egli non dovrebbe tardare – la cosa che più mi turba non è questo freddo pugnale nascosto qui sotto la toga, o l'ansia di come andrà, dell'imprevisto che potrebbe sventare i nostri piani, non è il timore d'una spiata, né l'incertezza per il dopo: è soltanto vedere che è una bella giornata di marzo, una giornata di festa come tutte le altre, e che la gente va a spasso, se ne infischia della repubblica e dei poteri di Cesare, le famiglie vanno in campagna, la gioventù è alle corse dei carri, le ragazze indossano certe vesti che piombano giù dritte, un nuovo modo per far indovinare con più malizia le forme. Noi qui tra queste colonne che si fischietta, si fa finta di discorrere con disinvoltura, abbiamo un'aria sospetta più che mai, a me sembra; ma a chi verrebbe in mente? Tutti quelli che passano per la strada sono lontani le mille miglia dal pensare a queste cose, è una bella giornata, tutto è calmo.

Quando ci butteremo, snudati i pugnali, là, sull'usurpatore delle libertà repubblicane, i nostri atti dovranno essere rapidi come lampi, secchi e nello stesso tempo furiosi. Ma ci riusciremo? Tutto in questi giorni ha preso un'andatura così lenta, tirata in lungo, approssimativa, flaccida, il Senato che un po' per giorno rinuncia alle sue prerogative, Cesare che pare sempre lì lì per mettersi in capo la corona ma non ha fretta, l'ora decisiva che sembra stia per scoccare a ogni momento e invece c'è sempre un rinvio, un'altra speranza o un'altra minaccia. Siamo tutti invischiati in questa fanghiglia, anche noi altri: il nostro piano perché abbiamo aspettato le Idi per metterlo in pratica? Non potevamo già agire alle Calende di marzo? E visto che ci siamo, perché non aspettare le Calende d'aprile? Oh, non era così, non era così che immaginavamo la lotta contro il tiranno, noi giovani educati nelle virtù repubblicane: ricordo certe sere con qualcuno che adesso sta con me sotto questo portico, Trebonio, Ligario, Decio, quand'eravamo insieme agli studi, e leggevamo le storie dei greci, e ci vedevamo noi a liberare la nostra città dalla tirannia: ebbene, erano sogni di giornate drammatiche, tese, sotto cieli corruschi, di tumulti concitati, di lotte mortali, o di qua o di là, o per la libertà o per il tiranno; e noi, gli eroi, avremmo avuto il popolo dalla nostra, a sostenerci e, dopo le rapidissime battaglie, a salutarci vincitori. Invece niente: magari gli storici futuri racconteranno, al solito, di chissà quali presagi nei cieli in tempesta o nelle viscere degli uccelli; ma noi lo sappiamo che è un mite marzo, con qualche scroscio di pioggia ogni tanto, l'altra sera un po' di vento che ha scoperchiato qualche tetto di paglia del suburbio. Chi lo direbbe che stamane noi uccideremo Cesare (o Cesare noi, gli dei non vogliano)? Chi crederebbe che la storia di Roma sta per cambiare (in meglio o in peggio, lo deciderà il pugnale) in una giornata pigra come questa?

Il timore che mi prende è che, puntati i pugnali contro il petto di Cesare, anche noi cominciamo a rimandare, a vagliare il pro e il contro, ad aspettare di sentire lui cosa risponde, di decidere cosa controporre, e intanto le lame dei pugnali comincino a penzolare molli come lingue di cani, si sciolgano come serpenti di burro contro il petto tronfio di Cesare.

Ma perché finisce per apparire anche a noi una cosa tanto strana il trovarci qui a fare quel che dobbiamo fare? Non abbiamo per tutta la vita sentito ripetere che le libertà della repubblica sono la cosa più sacra? Non era intesa tutta la nostra vita civile a vigilare contro chi volesse usurpare i poteri del Senato e dei consoli? E adesso che siamo al dunque, ecco invece che tutti, gli stessi senatori, i tribuni, e anche gli amici di Pompeo, e i dotti che più veneravamo come lo stesso Marco Tullio si mettono a far distinzioni, a dire che sì, Cesare manomette gli ordinamenti repubblicani, si fa forte delle prepotenze dei veterani, blatera di dignità divine che gli spetterebbero, ma pure è uomo di glorioso passato, e per far la pace coi barbari ha più autorità d'ogni altro, e che la crisi della repubblica solo lui può risolverla, e insomma, fra tanti mali

Cesare è il male minore. Alla gente poi, figurarsi, Cesare va benissimo, o comunque se ne infischiano, è il primo giorno di festa in cui il bel tempo primaverile spinge le famiglie romane per i prati con le ceste delle provviste, l'aria è dolce. Forse non è più tempo per noi, amici di Cassio e di Bruto; credevamo di passare alla storia come eroi della libertà, ci immaginavamo col braccio levato in gesti statuari, invece non ci sono più gesti possibili, le braccia ci resteranno rattrappite, le mani s'apriranno a mezz'aria in mosse cautelative, diplomatiche. Tutto si prolunga oltre il dovuto: anche Cesare tarda ad arrivare, nessuno ha voglia di far nulla, stamane, ecco la verità. Il cielo è appena venato di tenui fiocchi di nuvole, e vi saettano le prime rondini, attorno ai pini. Nelle vie strette c'è il chiasso delle ruote che battono sul selciato e stridono alle curve.

Ma che avviene alla porta di là? Cos'è quel gruppo di persone? Ecco, m'ero distratto dietro i miei pensieri e Cesare è arrivato! Ecco Cimbro che gli tira la toga, e Casca, Casca già trae a sé il pugnale rosso di sangue, tutti gli son sopra, ah ecco Bruto, che finora s'è tenuto in disparte come assorto, buttarsi anch'egli avanti, ora pare crollino tutti giù per i gradini, certo Cesare è caduto, la calca mi sospinge lì addosso, ecco che anch'io levo il pugnale, colpisco, e sotto vedo aprirsi Roma coi suoi muri rossi nel sole di marzo, gli alberi, i carri che passano veloci senza saper niente, e una voce di donna che canta a una finestra, una tabella che annuncia lo spettacolo del circo, e ritirando il pugnale mi prende come una vertigine, un senso di vuoto, di esser soli, non qui in Roma, oggi, ma di restar soli dopo, nei secoli che verranno, la paura che non capiscano quel che ora abbiamo fatto, che non sappiano ripeterlo, che restino lontani e indifferenti come questa bella e calma giornata di marzo.

RACCONTI E DIALOGHI

1968-1984

La memoria del mondo

È per questo che l'ho fatta chiamare, Müller. Ora che le mie dimissioni sono state accettate, lei sarà il mio successore: la sua nomina a direttore è imminente. Non finga di cadere dalle nuvole: è da parecchio che la voce circola tra noi, e certo sarà arrivata anche al suo orecchio. Del resto, non c'è dubbio che tra i giovani quadri della nostra organizzazione, lei Müller è il più preparato, quello che conosce – si può dire – tutti i segreti del nostro lavoro. In apparenza, almeno. Mi lasci dire: non è di mia iniziativa che le parlo, ma per incarico dei nostri superiori. Solo di alcune questioni lei non è ancora al corrente, ed è venuto il momento che lei sappia, Müller. Lei crede, come tutti del resto, che la nostra organizzazione stia da molti anni preparando il più grande centro di documentazione che sia mai stato progettato, uno schedario che raccolga e ordini tutto quello che si sa d'ogni persona e animale e cosa, in vista d'un inventario generale non solo del presente ma anche del passato, di tutto quello che c'è stato dalle origini, insomma una storia generale di tutto contemporaneamente, o meglio un catalogo di tutto momento per momento. Effettivamente, è a questo che lavoriamo, e possiamo dire di essere a buon punto: non solo il contenuto delle più importanti biblioteche del mondo, degli archivi e dei musei, delle annate dei giornali d'ogni paese è già nelle nostre schede perforate, ma anche una documentazione raccolta *ad hoc*, persona per persona, luogo per luogo. E tutto questo materiale passa attraverso un processo di riduzione all'essenziale, condensazione, miniaturizzazione, che non sappiamo ancora a che punto s'arresterà; così come tutte le immagini esistenti e possibili vengono archiviate in minuscole bobine di microfilm, e microscopici rocchetti di filo magnetico racchiudono tutti i suoni registrati e registrabili. È una memoria centralizzata del genere umano quella che noi siamo intenti a costruire, cercando d'immagazzinarla in uno spazio il più ristretto possibile, sul tipo delle memorie individuali dei nostri cervelli.

Ma è inutile che ripeta queste cose proprio a lei che è entrato qui da noi vincendo il concorso d'ammissione col progetto «Tutto il British Museum in una castagna». Lei è tra noi da relativamente pochi anni, ma conosce ormai il funzionamento dei nostri laboratori quanto me che ho occupato il posto di direttore dalla fondazione. Non l'avrei mai lasciato, questo posto, gliel'assicuro, se m'avessero sorretto le forze. Ma dopo la misteriosa scomparsa di mia moglie, m'ha preso una crisi di depressione da cui non riesco a rimettermi. È giusto che i nostri superiori – accogliendo del resto quello che è anche un mio desiderio – abbiano pensato a sostituirmi. Tocca quindi a me metterla al corrente dei segreti d'ufficio che finora le sono stati taciuti.

Quello che lei non sa è il vero scopo del nostro lavoro. È per la fine del mondo, Müller. Lavoriamo in vista d'una prossima fine della vita sulla Terra. È perché tutto non sia stato inutile, per trasmettere tutto quello che sappiamo ad altri che non sappiamo chi sono né cosa sanno.

Posso offrirle un sigaro? La previsione che la Terra non resterà abitabile per molto tempo ancora – almeno per il genere umano – non può farci troppa impressione. Già sapevamo tutti che il Sole è arrivato alla metà della sua vita: per bene che andasse, tra quattro o cinque miliardi d'anni tutto sarebbe finito. Di qui a un po', insomma, il problema si sarebbe posto in ogni modo; la novità è che le scadenze sono molto più ravvicinate, che non abbiamo tempo da perdere, ecco tutto. L'estinzione della nostra specie è certo una prospettiva triste, ma piangervi sopra non è che una ben vana consolazione, come recriminare una morte individuale. (È sempre alla scomparsa della mia Angela che penso, perdoni la mia commozione). In milioni di pianeti sconosciuti vivono certamente degli esseri simili a noi; poco importa se a ricordarci e a continuarci saranno i loro discendenti anziché i nostri. L'importante è comunicare loro la nostra memoria, la memoria generale messa a punto dall'organizzazione di cui lei Müller sta per esser nominato direttore.

Non si spaventi; l'ambito del suo lavoro resterà quello che è stato finora. Il sistema per comunicare la nostra memoria ad altri pianeti è studiato da un'altra branca dell'organizzazione; noi abbiamo già il nostro daffare, e nemmeno ci riguarda se saranno ritenuti più idonei mezzi ottici o acustici. Può anche darsi che non si tratterà di trasmetterli, i messaggi, ma di depositarli al sicuro, sotto la crosta terrestre: il relitto del nostro pianeta vagante per lo spazio potrebbe un giorno essere raggiunto ed esplorato da archeologi extragalattici. Nemmeno il codice o i codici che saranno prescelti sono affar nostro: c'è pure una branca che studia solo questo, il modo di rendere intelligibile il nostro stock d'informazioni, qualsiasi sistema linguistico usino gli altri. Per lei, ora che sa, non è cambiato nulla, le assicuro, tranne che nella responsabilità che l'aspetta. È di questo che volevo discorrere un po' con lei.

Cosa sarà il genere umano al momento dell'estinzione? Una certa quantità d'informazione su se stesso e sul mondo, una quantità finita, dato che non potrà più rinnovarsi e aumentare. Per un certo tempo, l'universo ha avuto una particolare occasione di raccogliere ed elaborare informazione; e di crearla, di far saltar fuori informazione là dove non ci sarebbe stato niente da informare di niente: questo è stata la vita sulla Terra e soprattutto il genere umano, la sua memoria, le sue invenzioni per comunicare e ricordare. La nostra organizzazione garantisce che questa quantità d'informazione non si disperda, indipendentemente dal fatto che essa venga o no ricevuta da altri. Sarà scrupolo del direttore far sì che non resti fuori niente, perché quel che resta fuori è come se non ci fosse mai stato. E nello stesso tempo sarà suo scrupolo fare come se non ci fosse mai stato tutto ciò che finirebbe per impasticciare o mettere in ombra altre cose più essenziali, cioè tutto quello che anziché aumentare l'informazione creerebbe un inutile disordine e frastuono. L'importante è il modello generale costituito dall'insieme delle informazioni, dal quale potranno essere ricavate altre informazioni che noi non diamo e che magari non abbiamo. Insomma non dando certe informazioni se ne danno di più di quante non se ne darebbe dandole. Il risultato finale del nostro lavoro sarà un modello in cui tutto conta come informazione, anche ciò che non c'è. Solo allora si potrà sapere, di tutto ciò che è stato, cos'è che contava davvero, ossia cos'è che c'è stato veramente, perché il risultato finale della nostra documentazione sarà insieme ciò che è, è stato e sarà, e tutto il resto niente.

Certo capitano dei momenti nel nostro lavoro – anche lei ne avrà avuti, Müller – in cui si è tentati di pensare che solo ciò che sfugge alla nostra registrazione è importante, che solo ciò che passa senza lasciar traccia esiste veramente, mentre tutto quel che i nostri schedari ritengono è la parte morta, i trucioli, la scoria. Viene il momento in cui uno sbadiglio, una mosca che vola, un prurito ci paiono il solo tesoro appunto perché assolutamente inutilizzabile, dato una volta per tutte e subito dimenticato, sottratto al destino monotono dell'immagazzinamento nella memoria del mondo. Chi può escludere che l'universo consista nella rete discontinua degli attimi non registrabili, e che la nostra organizzazione non ne controlli altro che lo stampo negativo, la cornice di vuoto e d'insignificanza?

Ma la nostra deformazione professionale è questa: appena ci fissiamo su qualcosa, subito vorremmo comprenderla nei nostri schedari; e così mi è spesso accaduto, le confesso, di catalogare sbadigli, foruncoli, associazioni d'idee sconvenienti, fischiettii, e di nasconderli nel pacco delle informazioni più qualificate. Perché il posto di direttore cui lei sta per essere chiamato ha questo privilegio: di poter dare un'impronta personale alla memoria del mondo. Mi segua, Müller: non le sto parlando d'un arbitrio e d'un abuso di poteri, ma d'una componente indispensabile del nostro lavoro. Una massa d'informazioni freddamente oggettive, incontrovertibili, rischierebbe di fornire un'immagine lontana dal vero, di falsare quel che è più specifico d'ogni situazione. Supponiamo che ci arrivi da un altro pianeta un messaggio di puri dati di fatto, d'una chiarezza addirittura ovvia: non gli presteremmo attenzione, non ce ne accorgeremmo nemmeno; solo un messaggio che contenesse qualcosa di inespresso, di dubbioso, di parzialmente indecifrabile forzerebbe la soglia della nostra coscienza, imporrebbe d'esser ricevuto e interpretato. Dobbiamo tener conto di questo: compito del direttore è dare all'insieme dei dati raccolti e selezionati dai nostri uffici quella lieve impronta soggettiva, quel tanto d'opinabile, d'arrischiato, di cui hanno bisogno per essere veri. Di questo volevo avvertirla, prima di farle le consegne: nel materiale finora raccolto si nota qua e là l'intervento della mia mano – d'un'estrema delicatezza, intendiamoci –; vi sono disseminati giudizi, reticenze, anche menzogne.

La menzogna esclude solo in apparenza la verità; lei sa che in molti casi le menzogne – per esempio, per il psicoanalista quelle del paziente – sono indicative quanto o più della verità; e così sarà per coloro che si troveranno a interpretare il nostro messaggio. Müller, dicendole quel che le dico ora non è più per incarico dei nostri superiori che parlo ma in base alla mia personale esperienza, da collega a collega, da uomo a uomo. Mi ascolti: la menzogna è la vera informazione che noi abbiamo da trasmettere. Perciò non mi sono voluto vietare un uso discreto della menzogna, là dove essa non complicava il messaggio, anzi lo semplificava. Soprattutto nelle notizie su me stesso, mi sono creduto autorizzato ad abbondare in particolari non veri (la cosa non credo possa dar disturbo a nessuno). Per esempio, la mia vita con Angela: l'ho descritta come avrei voluto che fosse, una grande storia d'amore, in cui Angela e io appaiamo come due eterni innamorati, felici in mezzo ad avversità d'ogni sorta, appassionati, fedeli. Non è stato esattamente così, Müller: Angela mi sposò per interesse e subito se ne pentì, la nostra vita fu un seguito di meschinità e sotterfugi. Ma cosa conta quello che è stato giorno per giorno? Nella memoria del mondo l'immagine d'Angela è definitiva, perfetta, nulla può scalfirla e io sarò per sempre lo sposo più invidiabile che sia mai esistito.

Dapprincipio non avevo che da compiere un abbellimento dei dati che mi forniva la nostra vita quotidiana. A un certo punto questi dati che mi trovavo sotto gli occhi nell'osservare Angela giorno per giorno (e poi nello spiarla, nel pedinarla, alla fine) cominciarono a diventare sempre più contraddittori, ambigui, tali da giustificare sospetti infamanti. Cosa dovevo fare, Müller? Confondere, rendere inintelligibile quell'immagine di Angela così chiara e trasmissibile, così amata e amabile, offuscare il messaggio più splendente di tutti i nostri schedari? Eliminavo questi dati giorno per giorno, senza esitare. Ma avevo sempre paura che intorno all'immagine definitiva di Angela restasse qualche indizio, qualche sottinteso, una traccia da cui si potesse dedurre quello che lei – quello che l'Angela nella vita effimera – era e faceva. Passavo le giornate in laboratorio a selezionare, a cancellare, a omettere. Ero geloso, Müller: non geloso dell'Angela effimera – quella ormai era per me una partita perduta – ma geloso di quell'Angela-informazione che sarebbe sopravvissuta per tutta la durata dell'universo.

La prima condizione perché l'Angela-informazione non fosse toccata da nessuna macchia era che l'Angela vivente non continuasse a sovrapporsi alla sua immagine. Fu allora che Angela scomparve e tutte le ricerche furono vane. Sarebbe inutile che adesso io le raccontassi, Müller, di come riuscii a disfarmi del cadavere pezzo a pezzo. Resti pur calmo, questi particolari non hanno nessuna importanza ai fini del nostro lavoro, perché nella memoria del mondo io resto lo sposo felice e poi il vedovo inconsolabile che tutti voi conoscete. Ma non ho trovato la pace: l'Angela-informazione restava pur sempre parte d'un sistema d'informazioni, al-

cune delle quali potevano prestarsi a essere inter-
pretate, – per disturbi nella trasmissione, o per ma-
lignità del decodificatore – come supposizioni equi-
voche, insinuazioni, illazioni. Decisi di distruggere
nei nostri schedari ogni presenza di persone con cui
Angela poteva aver avuto rapporti intimi. Mi è
molto dispiaciuto, perché di alcuni dei nostri colleghi non resterà traccia nella memoria del mondo,
come se non fossero mai esistiti.

Lei crede che le dica queste cose per chiedere la
sua complicità, Müller. No, non è questo il punto.
Devo informarla delle misure estreme che sono obbligato a prendere per far sì che l'informazione d'o-
gni possibile amante di mia moglie resti esclusa dagli schedari. Non mi preoccupo delle conseguenze
per me; gli anni che mi restano da vivere sono pochi rispetto all'eternità con cui sono abituato a fare
i conti; e quello che io sono stato veramente l'ho
già stabilito una volta per tutte e consegnato alle
schede perforate.

Se nella memoria del mondo non c'è niente da
correggere, la sola cosa che resta da fare è correggere la realtà dove essa non concorda con la memoria
del mondo. Come ho cancellato l'esistenza dell'a-
mante di mia moglie dalle schede perforate così devo cancellare lui dal mondo delle persone viventi.
È per questo che ora estraggo la pistola, la punto
contro di lei, Müller, schiaccio il grilletto, l'uccido.

La decapitazione dei capi

1

Il giorno in cui arrivai alla capitale doveva essere la vigilia d'una festa. Nelle piazze stavano costruendo palchi, tirando su bandiere, nastri, palme. Si sentivano martellate da ogni parte.

– La festa nazionale? – domandai a quello del bar.

Indicò la fila dei ritratti alle sue spalle. – I nostri capi – rispose. – È la festa dei capi.

Pensai che fosse una proclamazione di nuovi eletti. – Nuovi? – domandai.

Tra il picchiare dei martelli, gli altoparlanti che facevano le prove, lo stridere delle gru che rizzavano catafalchi, dovevo, per farmi intendere, lanciare frasi brevi, quasi urlando.

L'uomo del bar fece segno di no: non si trattava di nuovi capi, c'erano già da un po'.

Chiesi: – L'anniversario di quando hanno preso il potere?

– Una cosa così, – spiegò un avventore al mio fianco. – Periodicamente, viene il giorno della festa, e tocca a loro.

– Tocca a loro, cosa?

– Di salire sul palco.

– Quale palco? Ne ho visti molti, uno a ogni crocicchio.

– A ognuno tocca un palco. I nostri capi sono
molti.

– E cosa fanno? Discorsi?

– No, discorsi no.

– Salgono, e cosa fanno?

– Cosa volete che facciano? Aspettano un po',
finché durano i preparativi, poi la cerimonia finisce
in due minuti.

– E voi?

– Si guarda.

C'era un va e vieni nel bar: carpentieri, manovali
che scaricavano dai camion gli oggetti per l'addob-
bo dei palchi – scuri, ceppi, cesti – e si fermavano a
bere birra. Io rivolgevo le mie domande a qualcuno
e rispondeva sempre qualcun altro.

– È una specie di rielezione, insomma? Una ri-
conferma dei posti, diciamo, dei mandati?

– No, no, – mi corressero, – non avete capito! È
la scadenza. Il loro tempo è finito.

– E allora?

– E allora smettono d'esser capi, di star su: ca-
dono.

– E perché salgono sui palchi?

– Sui palchi si può vedere bene come cade il capo, il salto che fa, tagliato netto, e come va a finire
nella cesta.

Cominciavo a capire, ma non ero ben sicuro. – Il
capo dei capi, volete dire? Nella cesta?

Facevano segno di sì. – Ecco. La decapitazione.
Proprio quella. La decapitazione dei capi.

Io ero arrivato lì di fresco, non ne sapevo niente, non avevo letto niente sui giornali.

– Così, domani, tutt'a un tratto?

– Quando tocca tocca, – dicevano. – Stavolta cade a metà settimana. Si fa festa. Tutto chiuso.

Un vecchio soggiunse, sentenzioso: – Il frutto quando è maturo si coglie, il capo si decapita. Lascereste marcire i frutti sui rami?

I carpentieri erano andati avanti nel loro lavoro: su certi palchi stavano installando le intelaiature di grevi ghigliottine; su altri fissavano saldamente dei ceppi per la decollazione con la mannaia, addossati a comodi inginocchiatoi (uno degli aiutanti faceva la prova di mettersi giù col collo sul ceppo, per verificare se era all'altezza giusta); altrove ancora allestivano delle specie di banchi da macellaio, con la scannellatura per far scorrere il sangue. Sull'impiantito dei palchi veniva stesa della tela cerata, ed erano già preparate le spugne per nettarla dagli spruzzi. Tutti lavoravano con brio; li si sentiva ridere, fischiare.

– Allora voi siete contenti? Li odiavate? Erano dei cattivi capi?

– No, chi l'ha detto? – si guardarono tra loro, sorpresi. – Buoni. Insomma, né meglio né peggio di tanti. Ehi, si sa come sono: capi, dirigenti, comandanti... Se uno arriva a quei posti...

– Però, – fece uno di loro, – a me questi piacevano.

– Anche a me. A me pure, – fecero eco altri. – Io non ci ho mai avuto niente contro.

– E non vi dispiace che li ammazzino? – dissi.

160

– Come si fa? Se uno accetta d'esser capo sa già come finisce. Mica pretenderà di morire nel suo letto!

Gli altri risero. – Sarebbe comodo! Uno dirige, dirige, poi, come se niente fosse, smette, e torna a casa.

Uno fece: – Allora, ve lo dico io, ci starebbero tutti a fare il capo! Anch'io, guardate, sarei pronto, eccomi qua!

– Anch'io, anch'io, – dissero molti, ridendo.

– Io proprio no, – fece uno con gli occhiali – così no: che senso avrebbe?

– È vero. Che gusto ci sarebbe a esser capi in quel modo? – intervennero varie voci. – Una cosa è fare quel lavoro sapendo quel che ti aspetta, e altro è... ma come si potrebbe farlo, altrimenti?

Quello con gli occhiali, che doveva essere il più colto, spiegò: – L'autorità sugli altri è una cosa sola col diritto che gli altri hanno di farti salire sul palco e abbatterti, un giorno non lontano... Che autorità avrebbe, un capo, se non fosse circondato da quest'attesa? E se non glie la si leggesse negli occhi, a lui stesso, quest'attesa, per tutto il tempo che dura la sua carica, secondo per secondo? Le istituzioni civili riposano su questo doppio aspetto dell'autorità; non si è mai vista civiltà che adottasse altro sistema.

– Eppure, – obiettai, – io vi potrei citare dei casi...

– Dico: vera civiltà – insisté quello con gli occhiali, – non parlo degli intervalli di barbarie che hanno durato più o meno a lungo nella storia dei popoli...

Il vecchio sentenzioso, quello che prima aveva parlato dei frutti sui rami, brontolava qualcosa tra sé. Esclamò: – Il capo comanda finché è attaccato al collo.

– Cosa volete dire? – gli chiesero gli altri. – Volete dire che se per ipotesi un capo passa il termine, facciamo il caso, e non gli si taglia la testa, resta lì a dirigere, per tutta la vita?

– Così andavano le cose, – assentì il vecchio, – ai tempi in cui non era chiaro che chi sceglie d'esser capo sceglie d'essere decapitato a breve termine. Chi aveva il potere se lo teneva stretto...

Qui io avrei potuto interloquire, citare degli esempi, ma nessuno mi dava retta.

– E allora? Come facevano? – chiedevano al vecchio.

– Dovevano decapitare i capi per forza, con le cattive, contro la loro volontà! E non a date stabilite, ma solo quando non ne potevano proprio più! Questo succedeva prima che le cose fossero regolate, prima che i capi accettassero...

– Oh, vorremmo ben vedere che non accettassero! – dissero gli altri. – Vorremmo anche vedere questa!

– Le cose non stanno così come dite, – intervenne quello con gli occhiali. – Non è vero che i capi siano costretti a subire le esecuzioni. Se diciamo questo perdiamo il senso vero dei nostri ordinamenti, il vero rapporto che lega i capi al resto della popolazione. Solo i capi possono essere decapitati, perciò non si può volere essere capi senza volere insieme il taglio della scure. Solo chi sente questa vo-

162

cazione può diventare un capo, solo chi si sente già decapitato dal primo momento in cui siede a un posto di comando.

A poco a poco gli avventori del bar s'erano diradati, ognuno era tornato al proprio lavoro. M'accorsi che l'uomo con gli occhiali si rivolgeva solo a me.

– Questo è il potere, – continuò, – quest'attesa. Tutta l'autorità di cui uno gode non è che il preannuncio della lama che fischia in aria, e s'abbatte con un taglio netto, tutti gli applausi non sono che l'inizio di quell'applauso finale che accoglie il rotolare della testa sull'incerata del palco.

Si tolse gli occhiali per pulirli nel fazzoletto. M'accorsi che aveva gli occhi pieni di lagrime. Pagò la birra e andò via.

L'uomo del bar si chinò al mio orecchio. – È uno di loro, – disse. – Vede? – Tirò fuori una pila di ritratti che aveva sotto il banco. – Domani devo staccare quelli e appendere questi altri. – Il ritratto in cima era quello dell'uomo con gli occhiali, un brutto ingrandimento d'una fotografia formato tessera. – È stato eletto per succedere a quelli che lasciano il posto. Domani entrerà in carica. Tocca a lui, adesso. Secondo me fanno male a dirglielo il giorno prima. Ha sentito su che tono la mette? Domani assisterà alle esecuzioni come se già fossero la sua. Fanno tutti così, i primi giorni; s'impressionano, s'esaltano, gli pare chissacché. La «vocazione»: che parolone tirava fuori!

– E dopo?

– Si farà una ragione, come tutti. Hanno tante

cose da fare, non ci pensano più, finché non viene il giorno della festa anche per loro. O almeno: chi può leggere nel cuore dei capi? Fanno mostra di non pensarci. Un'altra birra?

2

La televisione ha cambiato molte cose. Il potere, una volta, restava distante, figure lontane, impettite su di un palco, o ritratti atteggiati a espressioni di una fierezza convenzionale, simboli d'un'autorità che male si riusciva a riferire a individui in carne e ossa. Adesso, con la televisione, la presenza fisica degli uomini politici è qualcosa di vicino e familiare; le loro facce, ingrandite dal video, visitano quotidianamente le case dei privati cittadini; ognuno può, tranquillamente affondato nella sua poltrona, rilassato, scrutare il minimo moto di lineamenti, lo scatto infastidito delle palpebre alla luce dei riflettori, il nervoso umettare delle labbra tra parola e parola... Specialmente nelle convulsioni dell'agonia il viso, già ben noto per essere stato inquadrato tante volte in occasioni solenni o festose, in pose oratorie o di parata, esprime tutto se stesso: è in quel momento, più che in ogni altro, che il semplice cittadino sente il governante come suo, come qualcosa che gli appartiene per sempre. Ma già da prima, per tutti i mesi precedenti, ogni volta che lo vedeva apparire sul piccolo schermo e incedere nell'adempimento dei suoi compiti – per esempio a inaugurare degli scavi, ad appuntare medaglie sul petto dei meritevoli, o soltanto a scendere scalette d'aeroplani agitando la mano aperta – già studiava in quel volto le possibili contrazioni dolorose, cercava d'immaginare gli spasimi che avrebbero preceduto il *rigor mortis*, di distinguere nella pronuncia dei discorsi e dei brindisi gli accenti che avrebbero caratterizzato il rantolo estremo. In questo consiste appunto l'ascendente dell'uomo pubblico sulla folla: è l'uomo che avrà una morte pubblica, l'uomo alla cui morte siamo certi d'assistere, tutti insieme, e che per questo è circondato in vita dal nostro interesse ansioso, anticipatore. Come andassero le cose prima, al tempo in cui gli uomini pubblici morivano nascosti, non riusciamo più a immaginarlo; oggi ci fa ridere il sentire che definivano democrazia certi loro ordinamenti d'allora; per noi la democrazia comincia solo dal giorno in cui si ha la sicurezza che al giorno stabilito le telecamere inquadreranno l'agonia della nostra classe dirigente al completo, e, in coda allo stesso programma (ma molti degli spettatori a quel momento spengono l'apparecchio) l'insediamento del nuovo personale, che resterà in carica (e in vita) per un periodo equivalente. Sappiamo che anche nelle altre epoche il meccanismo del potere si basava su uccisioni, su ecatombi ora lente ora improvvise, ma gli uccisi erano, tranne rare eccezioni, persone oscure, subalterne, male identificabili; spesso le stragi passavano sotto silenzio, venivano ufficialmente ignorate, o giustificate con motivi speciosi. Solo questa conquista, ormai definitiva, l'unificazione dei ruoli del carnefice e della vittima, in una rotazione continua, ha permesso d'estinguere negli animi ogni resto d'odio e di pietà. Il primo piano del tendersi delle mascelle spalancate, la carotide riversa che si dibatte nel colletto inamidato, la mano che sale contratta e lacera il petto scintillante di decorazioni, vengono contemplati da milioni di spettatori con raccoglimento sereno, come chi osserva i movimenti dei corpi celesti nel loro ciclico ripetersi, spettacolo che quanto più ci è estraneo tanto più sentiamo come rassicurante.

3

Ma non vorrete ucciderci fin d'ora?

Questa frase, pronunciata da Virghilij Ossipovic con un leggero tremito che contrastava col tono quasi protocollare, anche se carico d'aspri accenti polemici, in cui s'era svolta la discussione fino a quel momento, ruppe la tensione nell'assemblea del movimento «Volja i Raviopravie». Virghilij era il più giovane componente del Comitato direttivo; una peluria sottile gli ombrava il labbro prominente; ciocche di capelli biondi gli spiovevano su grigi occhi oblunghi; quelle mani dalle nocche arrossate i cui polsi sporgevano sempre da maniche di bluse troppo corte, non avevano tremato nell'innescare la bomba sotto la carrozza dello Zar.

I militanti di base occupavano tutti i posti intorno nella bassa e fumosa stanza dello scantinato; i più seduti su panche e sgabelli, alcuni accoccolati al suolo, altri in piedi a braccia conserte addossati alle pareti. Il Comitato direttivo sedeva al centro, otto ragazzi curvi intorno al tavolo ingombro di carte, come un gruppo di compagni di corso intenti alla sgobbata finale prima degli esami estivi. Alle interruzioni dei militanti che piovevano loro addosso dai quattro angoli della stanza, rispondevano senza voltarsi e senza alzare il capo. A tratti, un'ondata di proteste o di consensi si levava dall'assemblea e – poiché molti s'alzavano in piedi e si protendevano in avanti – pareva convergere dalle pareti verso il tavolo a sommergere le schiene del Comitato direttivo.

Liborij Serapionovic, l'irsuto segretario, aveva già più volte pronunciato la massima lapidaria a cui spesso si faceva ricorso per smorzare le divergenze irriducibili: – Se il compagno si divide dal compagno, là il nemico s'unisce col nemico –, e l'assemblea aveva replicato in coro scandito: – La testa che è alla testa fino al di là della vittoria, vittoriosa e onorata l'indomani cadrà –, rituale ammonimento che i militanti del «Volja i Raviopravie» non mancavano d'indirizzare ai loro dirigenti ogni volta che rivolgevano loro la parola, e che i dirigenti stessi si scambiavano tra loro come espressione di saluto.

Il movimento lottava per instaurare, sulle rovine dell'autocrazia e della Duma, una società egualitaria in cui il potere fosse regolato dall'uccisione periodica dei capi elettivi. La disciplina del movimento, tanto più necessaria quanto più la polizia imperiale inaspriva la sua repressione, richiedeva che tutti i militanti fossero tenuti a seguire senza discussione le decisioni del direttivo; nello stesso tempo la teoria ricordava in tutti i suoi testi che ogni funzione di comando era ammissibile solo se esercitata da chi aveva già rinunciato a godere dei privilegi del potere, e virtualmente non era più da considerarsi nel numero dei vivi.

I giovani capi del movimento non pensavano mai alla sorte che riservava loro un futuro ancora utopico: per il momento era la repressione zarista che provvedeva a un rinnovo dei quadri purtroppo sempre più rapido; il pericolo degli arresti e delle forche era troppo reale e quotidiano perché le congetture della teoria prendessero forma nelle loro fantasie. Un piglio giovanilmente ironico, sprezzante, serviva a rimuovere dalle loro coscienze quello che pur era l'aspetto saliente della loro dottrina. I militanti di base sapevano tutto questo, e come condividevano con i membri del direttivo rischi e disagi, così comprendevano il loro spirito; eppure custodivano il senso oscuro del loro destino di giustizieri, da esercitare non solo sui poteri costituiti ma anche su quelli futuri, e non potendo esprimerlo altrimenti, ostentavano nelle assemblee un'attitudine proterva, che pur limitandosi a un modo formale di comportamento, non mancava d'incombere sui capi come una minaccia.

– Finché il nemico di fronte a noi è lo Zar, – aveva detto Virghilij Ossipovic, – stolto è chi cerca lo Zar nel compagno – affermazione forse inopportuna, e certo male accolta dall'assemblea rumoreggiante.

Virghilij sentì una mano stringere la sua; seduta per terra ai suoi piedi era Evghenija Ephraïmovna, le ginocchia raccolte nella gonna tutta pieghe, i capelli annodati alla nuca e pendenti ai due lati del viso come giri d'una fulva matassa. Una mano di Evghenija era salita lungo gli stivali di Virghilij fino a incontrare la mano del giovane contratta a pugno, ne aveva sfiorato il dorso come in una carezza consolatrice, poi vi aveva conficcato le unghie aguzze graffiandolo lentamente a sangue. Virghilij comprese che ciò che quel giorno si muoveva nell'assemblea era una determinazione ostinata e precisa, qualcosa che riguardava direttamente loro, i dirigenti, e che si sarebbe rivelata tra poco.

– Nessuno di noi dimentica mai, compagni, – intervenne a calmare gli animi Ignatij Apollonovic, il più anziano del Comitato, che passava per lo spirito più conciliante, – ciò che non va dimenticato... comunque, è giusto che voi ce lo ricordiate, di tanto in tanto... sebbene, – soggiunse, ridacchiando nella barba, – a ricordarcelo già ci pensano abbastanza il conte Galitzin, e gli zoccoli dei suoi cavalli... – Alludeva al comandante della Guardia imperiale che con una carica di cavalleria aveva di recente fatto a pezzi un loro corteo di protesta, al ponte del Maneggio.

Una voce, chissà da dove, lo interruppe: – Idealista! – e Ignatij Apollonovic perdette il filo. – E perché? – chiese, sconcertato.

– Credi che basti custodire nella memoria le parole della nostra dottrina? – disse, da un'altra parte della sala, uno spilungone che s'era fatto notare tra i più agitati dell'ultima leva. – Sai perché la nostra dottrina non può essere confusa con quelle di tutti gli altri movimenti?

– Certo che lo sappiamo. Perché è la sola dottrina che quando avrà conquistato il potere, non potrà essere corrotta dal potere! – brontolò, china sulle carte, la testa rapata di Femja, quello tra loro che era detto «l'ideologo».

– E perché aspettare a metterla in pratica, – insisté lo spilungone, – il giorno in cui avremo conquistato il potere, colombucci miei?

– Adesso! Qui! – s'udì gridare da più parti. Le sorelle Marianzev, dette «le tre Marie» vennero avanti tra le panche cinguettando «Pardon! Pardon!» e impigliandosi con le lunghe trecce. Ripiegate tra le braccia reggevano tovaglie, canterellando e spingendo via i ragazzi, come se stessero apparecchiando per un rinfresco sulla veranda della loro casa di Izmailovo.

– Questo ha di diverso, la nostra dottrina, – lo spilungone continuava la sua predica, – che si può scrivere solo col taglio d'una lama affilata sulla persona fisica dei nostri amati dirigenti!

Ci fu un muoversi e rovesciare di panche perché molti dell'assemblea s'erano alzati e buttati avanti. Quelle che più davano spintoni e alzavano la voce erano le donne: – Seduti, fratellini miei! Vogliamo vedere! Che prepotenza, madre santa! Di qui non si vede proprio niente! – e affacciavano tra le schiene dei maschi i loro visi da maestrine cui i capelli corti sotto i berretti a visiera volevano dare un'aria risoluta.

A Virghilij una cosa sola poteva far vacillare il coraggio, ed era un qualsiasi segno d'ostilità da parte femminile. S'era alzato, succhiandosi il sangue dei graffi d'Evghenija sul dorso della mano, e gli era appena uscita di bocca quella frase: – Ma non vorrete ucciderci fin d'ora? – quando s'aperse la porta ed entrò il codazzo in camice bianco spingendo i carrelli carichi di ferri chirurgici scintillanti. Da quel momento qualcosa nell'attitudine dell'assemblea cambiò. Presero a piovere frasi fitte fitte: – Ma no... chi ha parlato di uccidervi?... voi, i nostri dirigenti... con l'affetto che abbiamo per voi e tutto il resto... cosa faremmo senza di voi?... la strada è ancora lunga... saremo sempre qui vicino a voi... – e lo spilungone, le ragazze, tutti quelli che prima sembravano costituire l'opposizione si prodigavano a incoraggiare i capi, con un tono rassicurante, quasi protettivo. – È solo una cosina leggera, di grande significato ma in sé non grave, ohi ohi ohi, un po' dolorosa, certamente, ma è perché si possa riconoscervi come i capi davvero, i nostri capi benvoluti, una mutilazione, è solo quello, quando è fatta è fatta, una piccola mutilazione una volta ogni tanto, non ve l'avrete a male per così poco?, è questo che distingue i capi del movimento nostro, cos'altro mai, se no?

Già i membri del direttivo erano immobilizzati da decine di braccia robuste. Sul tavolo disponevano le garze, le bacinelle col cotone, i coltelli seghettati. L'odore d'etere impregnava l'ambiente. Le ragazze apparecchiavano svelte, diligenti, come se da tempo ognuna si fosse preparata al suo compito.

– Adesso il dottore vi spiegherà tutto per benino. Dài, Tòlja!

Anatòl Spiridionovic, fuori corso di medicina, venne avanti tenendo sollevate le mani guantate di gomma rossa sullo stomaco già obeso. Era uno strano tipo, Tòlja, che forse per mascherare una sua timidezza metteva avanti una comica smorfia infantile e una sfilza di spiritosaggini.

– La mano... Eh, la manina... la mano è un organo prensile... eh, eh... molto utile... per questo se ne hanno due... e le dita, generalmente, sono dieci... ogni dito si compone di tre segmenti ossei detti falangi... almeno, nei nostri paesi così le chiamano... falange falangina falangetta...

– Piantala! Ci hai scocciato! Non vorrai farci la lezione! – L'assemblea rumoreggiava. (Questo Tòlja in fondo non era simpatico a nessuno). – Veniamo ai fatti! Sotto! Cominciamo!

Per primo portarono avanti Virghilij. Quando capì che gli avrebbero amputato solo la prima falange dell'anulare ritrovò il suo coraggio e sopportò il dolore con una fierezza degna di lui. Altri invece gridarono; dovettero tenerli in parecchi; per fortuna a un certo punto i più svenivano. Le amputazioni riguardavano dita diverse secondo la persona, ma in genere non più di due falangi per i dirigenti più importanti (le altre sarebbero state tagliate in seguito, poco per volta; bisognava prevedere che queste cerimonie si sarebbero ripetute molte volte negli anni che attendevano). Il sangue che si perdeva era più del previsto; le ragazze asciugavano attente.

Le dita amputate, in fila sulla tovaglia, sembravano piccoli pesci sgozzati dall'amo e tirati a riva. Presto rinsecchivano e annerivano, e, dopo una breve discussione sull'opportunità di conservarle in un astuccio, le buttarono nella spazzatura.

Il sistema della potatura dei capi fece una buona riuscita. Con un danno per il fisico relativamente modesto s'ottenevano risultati morali di rilievo. L'ascendente dei capi cresceva con le mutilazioni periodiche. Quando una mano dalle dita mozze s'alzava sulle barricate, i dimostranti facevano blocco e gli ulani a cavallo non riuscivano a disperdere la folla urlante che li sommergeva. I canti, i tonfi, i nitriti, le grida: «Volja i Raviopravie!», «Morte allo Zar!», «Vittoriosa e onorata l'indomani cadrà!» correvano per l'aria diaccia, trasvolavano le rive della Nevà, raggiungevano la fortezza Pietro e Paolo, erano uditi fin nelle celle più profonde dove i compagni imprigionati battevano in cadenza le catene e protendevano dalle inferriate i moncherini.

4

I giovani dirigenti, ogni volta che avanzavano la mano per firmare un documento o per sottolineare con un secco gesto una frase in una relazione, si ritrovavano sotto gli occhi le dita mozze, e questo aveva un'immediata efficacia mnemonica, stabilendo l'associazione d'idee tra l'organo del comando e il tempo che s'accorciava. Era un sistema pratico, oltretutto: le amputazioni potevano essere eseguite da semplici studenti e infermieri, in sale operatorie improvvisate, con attrezzature di fortuna; se scoperti e arrestati dalla polizia sempre sulle loro tracce, le pene previste per una semplice mutilazione erano lievi, o comunque non paragonabili a quelle che si sarebbero tirati addosso seguendo alla lettera le prescrizioni della teoria. Erano ancora i tempi in cui l'uccisione pura e semplice dei capi non sarebbe stata compresa né dalle autorità né dall'opinione pubblica; gli esecutori sarebbero stati condannati come assassini, il movente sarebbe stato cercato in qualche rivalità o vendetta.

In ogni organizzazione locale e in ogni istanza del movimento, un gruppo di militanti, distinto dal gruppo dirigente, e i cui membri cambiavano di continuo, s'incaricava delle amputazioni; fissava le scadenze, le parti del corpo, l'acquisto dei disinfettanti, e, giovandosi del consiglio di qualche esperto, dava personalmente mano agli strumenti. Era una specie di comitato di probiviri che non influiva sulle decisioni politiche, rigidamente accentrate dal direttivo.

Quando ai capi cominciarono a scarseggiare le dita, si studiò il modo d'introdurre qualche variante anatomica. Dapprima fu la lingua ad attirare l'attenzione: non solo si prestava ad ablazioni successive di fettine o fibrille, ma come valore simbolico e mnemonico era quanto vi fosse di più indicato: ogni taglietto incideva direttamente sulla fonazione e le virtù oratorie. Ma le difficoltà tecniche inerenti alla delicatezza dell'organo erano superiori al previsto. Dopo una prima serie d'interventi, le lingue furono lasciate in disparte, e si ripiegò su mutilazioni più vistose ma meno impegnative: orecchi, nasi, qualche dente. (Quanto al taglio dei testicoli, pur senza escluderlo del tutto, fu quasi sempre evitato, perché si prestava ad allusioni sessuali).

La strada è lunga. L'ora della rivoluzione non è ancora suonata. I dirigenti del movimento continuano a sottomettersi al bisturi. Quando arriveranno al potere? Per tardi che sia, saranno i primi capi che non deluderanno le speranze riposte in loro. Già li vediamo sfilare per le vie imbandierate il giorno dell'insediamento: arrancando con la gamba di legno chi ancora avrà una gamba intera; o spingendo la carriola con un braccio chi ancora avrà un braccio per spingerla, i visi nascosti da maschere piumate per nascondere le scarnificazioni più ripugnanti alla vista, alcuni inalberando il proprio scalpo come un cimelio. In quel momento sarà chiaro che solo in quel minimo di carne che loro resta potrà incarnarsi il potere, se un potere ancora avrà da esistere.

L'incendio della casa abominevole

Tra poche ore l'assicuratore Skiller verrà a chiedermi i risultati dell'elaboratore, e io non ho ancora inserito gli ordini sui circuiti elettronici che dovranno macinare in un pulviscolo di bit i segreti della vedova Roessler e della sua poco raccomandabile pensione. Là dove sorgeva la casa, su una di quelle dune di terreni vaghi tra scambi ferroviari e depositi di ferramenta che la periferia della nostra città lascia dietro di sé come mucchietti di rifiuti che sfuggono alla scopa, ora non è rimasta che qualche maceria fuligginosa. Poteva esser stata una villetta civettuola, alle origini, o non aver avuto altro aspetto che quello d'un tugurio spettrale: i rapporti della compagnia d'assicurazioni non lo dicono; ormai è bruciata, dal tetto spiovente alla cantina, e sui cadaveri inceneriti dei suoi quattro abitanti non s'è trovata alcuna traccia che serva a ricostruire i precedenti di questa solitaria carneficina.

Più dei corpi parla un quaderno, trovato tra le rovine, interamente bruciato tranne la copertina protetta da una fodera di plastica. Sul frontespizio sta scritto: *Relazione sugli atti abominevoli compiuti in questa casa* e sul retro un indice analitico comprende dodici voci in ordine alfabetico: Accoltellare, Diffamare, Drogare, Indurre al suicidio, Legare e imbavagliare, Minacciare con pistola, Prostituire, Ricattare, Sedurre, Spiare, Strozzare, Violentare.

Non si sa quale abitante della casa redigesse questo sinistro resoconto, né quali fini si proponesse: di denuncia, di confessione, d'autodifesa, di contemplazione affascinata del male? Tutto quello che ci resta è quest'indice che non riporta i nomi dei rei né quelli delle vittime delle dodici azioni – delittuose o soltanto colpevoli – e neppure rende nota la successione in cui sono state commesse, che già aiuterebbe a ricostruire una storia: le voci in ordine alfabetico rimandano a numeri di pagina cancellati da una striatura nera. Alla completezza dell'elenco manca un verbo, Incendiare, certo l'atto finale di questa torva peripezia: compiuto da chi? Per nascondere, per distruggere?

Anche ammettendo che ognuna delle dodici azioni sia stata compiuta da una sola persona ai danni d'una sola altra persona, ricostruire gli avvenimenti è un compito arduo: se i personaggi in questione sono quattro, presi a due a due possono configurare dodici relazioni diverse per ciascuno dei dodici tipi di relazione elencati. Le soluzioni possibili sono dunque dodici alla dodicesima potenza, cioè occorre scegliere tra un numero di soluzioni che ammonta a ottomilaottocentosettantaquattro miliardi, duecentonovantasei milioni, seicentosettantaduemiladuecentocinquantasei. Non c'è da stupirsi se la nostra troppo indaffarata polizia ha preferito archiviare l'inchiesta, con la buona ragione che, per quanti delitti possano esser stati commessi, certo i rei sono morti insieme alle vittime.

Solo la compagnia assicuratrice ha urgenza di conoscere la verità: soprattutto per via d'una polizza incendi stipulata dal proprietario della casa. Il fatto che ora anche il giovane Inigo sia morto tra le fiamme non fa che rendere più spinosa la questione: la sua potente famiglia, che pur aveva diseredato ed estromesso questo figlio degenere, è notoriamente poco incline a rinunciare a qualcosa che le spetta. Le peggiori illazioni (comprese o meno nell'indice abominevole) possono essere avanzate sul conto d'un giovane che, membro ereditario della Camera dei Pari, trascinava un titolo illustre sui gradini delle piazze che fanno da divano a una gioventù nomade e contemplativa, e s'insaponava i lunghi capelli sotto il getto delle fontane municipali. La casetta affittata alla vecchia affittacamere era l'unico immobile rimasto di sua proprietà, ed egli vi era stato accolto come subinquilino dalla sua inquilina, in cambio d'una riduzione del già modesto canone di locazione. Se l'incendiario è stato lui, Inigo, reo e vittima d'un disegno criminoso eseguito con l'imprecisione e la noncuranza che pare fossero proprie del suo comportamento, le prove del dolo esimerebbero la compagnia dal pagamento dei danni.

Ma questa non è la sola polizza che la compagnia è tenuta a onorare dopo la catastrofe: la stessa vedova Roessler rinnovava ogni anno un'assicurazione sulla propria vita a favore della figlia adottiva, indossatrice ben nota a chiunque sfogli le riviste d'alta moda. Ora anche Ogiva è morta, incenerita insieme alla collezione di parrucche che trasformavano il suo viso dal fascino agghiacciante – come definire altrimenti una giovane bella e delicata dal cranio completamente calvo? – in quello di centinaia di personaggi diversi e squisitamente asimmetrici. Ma risulta che Ogiva aveva un bambino di tre anni, affidato a certi parenti del Sud Africa, che non tarderanno a reclamare i frutti dell'assicurazione, a meno che non si provi che è stata lei a uccidere (*Accoltellare? Strozzare?*) la vedova Roessler. Anzi, dato che la stessa Ogiva s'era preoccupata d'assicurare la sua collezione di parrucche, i tutori del bambino possono pretendere anche questo indennizzo, salvo il caso d'una responsabilità di lei nella distruzione.

Del quarto personaggio scomparso nell'incendio, il gigantesco uzbeko lottatore di catch Belindo Kid, si sa che aveva trovato nella vedova Roessler non solo una solerte affittacamere (egli era il solo inquilino pagante della pensione) ma anche un oculato impresario. Negli ultimi mesi la vecchia s'era infatti persuasa a finanziare la tournée stagionale dell'ex-campione dei mediomassimi, garantendosi con un'assicurazione dal rischio che malattia o inabilità o infortunio gli impedissero di tener fede ai suoi contratti. Ora un consorzio d'organizzatori di riunioni di catch reclama i danni coperti dall'assicurazione; ma se la vecchia ha *indotto al suicidio* Belindo, magari *diffamandolo* o *ricattandolo* o *drogandolo* (il gigante era noto sulle arene internazionali per il suo carattere suggestionabile) la compagnia potrà facilmente tacitarli.

Non posso impedire ai lenti tentacoli della mia mente d'avanzare un'ipotesi per volta, d'esplorare labirinti di conseguenze che le memorie magnetiche percorrono in un nanosecondo. È dal mio elaboratore che Skiller aspetta una risposta, non da me.

Certo ciascuno dei quattro catastrofici personaggi si presenta più idoneo ad assumere il ruolo di soggetto d'alcuni verbi contenuti nell'elenco, e il ruolo d'oggetto d'altri verbi. Ma chi può escludere che i casi in apparenza più improbabili non siano i soli da ritenere? Prendiamo quella che si direbbe la più innocente tra le dodici relazioni, il *sedurre*. Chi ha sedotto chi? Ho un bel concentrarmi sulle mie formule: un flusso d'immagini continua a vorticare nella mia mente, a franare e a ricomporsi come in un caleidoscopio. Vedo le lunghe dita dalle unghie laccate di verde e viola della fotomodella sfiorare il mento svogliato, l'erbacea peluria del giovin signore pezzente, o solleticare la collottola coriacea e rapace del campione uzbeko che raggiunto da una remota sensazione gradevole inarca i deltoidi come gatti che fanno le fusa. Ma subito anche vedo la lunare Ogiva lasciarsi sedurre, ammaliata dalle lusinghe taurine del mediomassimo o dalla divorante introversione del ragazzo alla deriva. E vedo pure l'anziana vedova visitata da appetiti che l'età può scoraggiare ma non estinguere, imbellettarsi e infiocchettarsi per adescare l'una o l'altra preda maschile (o entrambe) e aver ragione di resistenze differenziate dal peso ma, quanto alla volontà, egualmente labili. Oppure vedo lei stessa oggetto di seduzione perversa, vuoi per la disponibilità dei desideri giovanili che porta a confondere le stagioni, vuoi per losco calcolo. Ed ecco che a completare il disegno interviene l'ombra di Sodoma e Gomorra e scatena la giostra degli amori tra sessi non opposti.

Forse il ventaglio dei casi possibili si restringe per i verbi più criminosi? Non è detto: chiunque può *accoltellare* chiunque. Ecco Belindo Kid trafitto a tradimento da una lama di pugnale nella nuca che gli tronca il midollo spinale come al toro nell'arena. A vibrare l'esatta coltellata può essere stato tanto l'esile polso tintinnante di braccialetti d'Ogiva, in un freddo raptus sanguinario, quanto le dita giocherellanti d'Inigo che dondolano il pugnale per la lama, lo lanciano in aria con abbandono ispirato su una traiettoria che colpisce il segno quasi per caso; oppure l'artiglio della lady Macbeth affittacamere che scosta nottetempo le tende delle stanze e incombe sul respiro dei dormienti. Non sono solo queste le immagini che si affollano nella mia mente: Ogiva o la Roessler sgozzano Inigo come un agnello segandogli le canne della gola; Inigo o Ogiva strappano di mano alla vedova il coltellaccio con cui affetta il bacon e la squartano in cucina; la Roessler o Inigo come chirurghi sezionano il corpo nudo d'Ogiva che si divincola (*legata e imbavagliata?*). Quanto a Belindo, se il coltellaccio era capitato in mano a lui, se in quel momento aveva perso la pazienza, magari se qualcuno l'aveva messo su contro qualche altro, a farli a pezzi tutti ci metteva poco. Ma che bisogno aveva lui, Belindo Kid, di *accoltellare*, quando aveva a disposizione, iscritto nell'indice del quaderno e nei suoi circuiti sensoriomotori, un verbo come *strozzare*, tanto più consono alle sue attitudini fisiche e al suo addestramento tecnico? Un verbo, inoltre, di cui lui poteva essere solo soggetto e non oggetto: vorrei vederli gli altri tre che si provano a strangolare il mediomassimo del catch, con le loro ditine che nemmeno riescono a far presa su quel collo a tronco d'albero!

Dunque questo è un dato di cui il programma deve tener conto: Belindo non *accoltella* ma di preferenza *strozza*; e non può essere *strozzato*; solo se *minacciato con pistola* può essere *legato e imbavagliato*; una volta *legato e imbavagliato* gli può succedere di tutto, perfino d'essere *violentato* dall'avida vecchia, o dall'impassibile fotomodella, o dal giovane eccentrico.

Cominciamo a stabilire delle precedenze e delle esclusioni. Qualcuno può prima *minacciare con pistola* qualcun altro e poi *legarlo e imbavagliarlo*; sarebbe per lo meno superfluo *legare* prima e *minacciare* poi. Chi invece *accoltella* o *strozza*, se nel contempo *minacciasse con pistola*, commetterebbe un atto scomodo e ridondante, imperdonabile. Chi conquista l'oggetto dei suoi desideri *seducendolo* non ha bisogno di *violentarlo*; e viceversa. Chi *prostituisce* un'altra persona può averla in precedenza *sedotta* o *violentata*; farlo dopo sarebbe un'inutile perdita di tempo e di energie. Si può *spiare* qualcuno per *ricattarlo*, ma se lo si ha già diffamato la rivelazione scandalosa non potrà più spaventarlo; quindi chi *diffama* non ha interesse a *spiare*, né ha più argomenti per *ricattare*. Chi *accoltella* una vittima non è escluso che ne *strozzi* un'altra, o che la *in-*

duca al suicidio, ma è improbabile che le tre azioni mortifere si esercitino sulla stessa persona.

È seguendo questo metodo che io posso rimettere a punto il mio organigramma: stabilire un sistema d'esclusioni in base al quale l'elaboratore possa scartare miliardi di sequenze incongrue, ridurre il numero delle concatenazioni plausibili, avvicinarsi a scegliere quella soluzione che s'imponga come vera.

Ma ci si arriverà mai? Un po' mi concentro a costruire modelli algebrici in cui fattori e funzioni siano anonimi e intercambiabili, allontanando dalla mia mente i visi, i gesti di quei quattro fantasmi; un po' m'immedesimo nei personaggi, evoco le scene in un cinematografo mentale tutto dissolvenze e metamorfosi. Attorno al verbo *drogare* forse gira la ruota dentata che ingrana in tutte le altre ruote: subito la mente associa a quel verbo il viso lattiginoso dell'ultimo Inigo d'una progenie illustre; la forma riflessiva *drogarsi* non implicherebbe alcun problema: che il giovane si drogasse è altamente probabile, fatti che non mi riguardano; ma la forma transitiva *drogare* presuppone un drogatore e un drogato, quest'ultimo consenziente o inconsapevole o costretto.

È altrettanto probabile che Inigo si lasci drogare quanto che cerchi di far proseliti alla stupefazione; immagino sigarette filiformi che passano dalla sua mano a quella d'Ogiva o della vecchia Roessler. È il giovane nobiluomo a trasformare la desolata pensione in una fumeria popolata da allucinazioni cangianti? O è l'affittacamere che l'ha attratto per sfruttare la sua propensione all'estasi? Forse è Ogiva che procura la droga alla vecchia oppiomane, e Inigo *spiandola* s'è accorto del nascondiglio, e irrompe *minacciando con pistola* o *ricattando*; la Roessler chiama in aiuto Belindo e *diffama* Inigo accusandolo d'aver *sedotto* e *prostituito* Ogiva, casta passione dell'uzbeko che si vendica *strozzandolo*; per togliersi dai guai non resta all'affittacamere che *indurre al suicidio* il lottatore, tanto più che l'assicurazione paga i danni, ma Belindo, perso per perso, *violenta* Ogiva, la *lega e imbavaglia* e appicca le fiamme al rogo sterminatore.

Piano, piano: non posso avere la pretesa di battere in velocità l'elaboratore elettronico. La droga potrebbe pure essere relazionata con Belindo: vecchio catcher sfiatato, non sale ormai sul ring se non è imbottito di stimolanti. È la Roessler che glieli somministra, imboccandolo con un cucchiaio da minestra. Inigo *spia* dal buco della serratura: ghiotto di psicofarmaci, si fa avanti e ne pretende una dose. Al rifiuto, *ricatta* il lottatore minacciandolo di farlo squalificare al campionato; Belindo lo *lega e imbavaglia*, poi lo *prostituisce* per poche ghinee a Ogiva che da tempo s'era incapricciata dello sfuggente aristocratico; Inigo, indifferente all'eros, può trovarsi in condizione amatoria solo se è sul punto d'essere *strozzato*; Ogiva gli comprime la carotide con gli affusolati polpastrelli; forse Belindo le dà una mano; bastano due dita delle sue e il piccolo lord torce gli occhi e resta secco; che fare del cadavere? Per simulare un suicidio l'*accoltellano*... Alt! Tutta la programmazione da rifare: devo cancellare l'istruzione ormai immagazzinata dalla memoria centrale, che chi viene *strozzato* non può essere *accoltellato*. Gli anelli di ferrite si smagnetizzano e rimagnetizzano; io sudo.

Ricominciamo da capo. Qual è l'operazione che il cliente aspetta da me? Disporre in un ordine logico un certo numero di dati. È dell'informazione che sto maneggiando, non delle vite umane, col loro bene e il loro male. Per una qualche ragione che non mi riguarda i dati di cui dispongo si riferiscono solo al male, e l'elaboratore deve metterlo in ordine. Non il male, che forse non può essere messo in ordine, ma l'informazione del male. In base a questi dati, contenuti nell'indice analitico degli *Atti abominevoli*, devo ricostruire la *Relazione* perduta, vera o falsa che fosse.

La *Relazione* presuppone qualcuno che l'ha scritta. Solo ricostruendola sapremo chi è: già possiamo però stabilire alcuni dati della sua scheda. L'autore della *Relazione* non può essere morto accoltellato né strozzato, perché non avrebbe potuto inserire nel racconto la propria morte; quanto al suicidio, potrebbe esser stato deciso prima della compilazione del quaderno-testamento, e messo in atto poi; ma chi è convinto d'essere indotto al suicidio da una volontà altrui non si suicida; ogni esclusione dell'autore del quaderno da un ruolo di vittima accresce automaticamente le probabilità che si possano attribuirgli ruoli di reo: egli quindi potrebbe essere insieme autore del male e dell'informazione del male. Questo non pone alcun problema per il mio lavoro: il male e l'informazione del male coincidono, tanto nel libro bruciato quanto nello schedario elettronico.

La memoria ha immagazzinato un'altra serie di dati da mettere in relazione con la prima: sono le quattro polizze d'assicurazione stipulate con Skiller da Inigo, da Ogiva e due dalla vedova, una per sé e una per Belindo. Un oscuro filo lega forse le polizze agli *Atti abominevoli* e le cellule fotoelettriche devono ripercorrerlo in una vertiginosa moscacieca, cercando la loro via nei sottili fori delle schede. Anche i dati delle polizze, ora tradotti in codice binario, hanno il potere d'evocare immagini nella mia mente: è sera, c'è la nebbia; Skiller suona alla porta della casa sulla duna; l'affittacamere lo accoglie come un nuovo inquilino; lui estrae dalla borsa i prospetti delle assicurazioni; è seduto in salotto; prende il tè; non è certo in una sola visita che riesce a far firmare i quattro contratti; è un'assidua familiarità che egli stabilisce con la casa e i suoi quattro abitanti. Vedo Skiller che aiuta Ogiva a spazzolare le parrucche della collezione (e di passata sfiora con le labbra il cranio nudo della modella); lo vedo mentre con gesto sicuro come un medico e premuroso come un figlio misura la pressione arteriosa della vedova cingendole il braccio molle e bianco con lo sfigmomanometro; eccolo che cerca d'interessare Inigo alla manutenzione della casa, gli segnala avarie nelle condutture, cedimenti nelle travi portanti, e paternamente lo trattiene dal mangiarsi le unghie; eccolo che legge con Belindo i giornali sportivi, commentando con manate sulle spalle l'avverarsi dei suoi pronostici.

Non mi è affatto simpatico questo Skiller: devo ammetterlo. Una ragnatela di complicità s'estende dovunque egli annoda le sue fila; se davvero egli aveva tanto potere sulla pensione Roessler, se era lui il factotum, il deus ex machina, se nulla di ciò che avveniva tra quelle mura poteva essergli estraneo, perché è venuto da me a chiedere la soluzione del mistero? Perché mi ha portato il quaderno bruciacchiato? È lui che ha trovato il quaderno tra le macerie? O è lui che ce l'ha messo? È lui che ha portato questa quantità d'informazione negativa, d'entropia irreversibile, che l'ha introdotta nella casa, come ora nei circuiti dell'elaboratore?

La strage della pensione Roessler non ha quattro personaggi: ne ha cinque. Traduco in fori puntiformi i dati dell'assicuratore Skiller e li aggiungo agli altri. Le azioni abominevoli possono essere sue come di ciascuno degli altri: può aver Accoltellato, Diffamato, Drogato eccetera, o meglio ancora può aver fatto Prostituire, Strozzare e tutto il resto. I miliardi di combinazioni crescono, ma forse cominciano a prendere una forma. A puro titolo d'ipotesi potrei costruire un modello in cui tutto il male sia opera di Skiller, e prima del suo ingresso la pensione si libri nell'innocenza più liliale: la vecchia Roessler suona un Lied sul pianoforte Bechstein che il buon gigante trasporta da una stanza all'altra per il miglior ascolto degli inquilini, Ogiva innaffia le petunie, Inigo dipinge petunie sul cranio di Ogiva. Suona il campanello: è Skiller. Cerca un bed and breakfast? No, ha da proporre delle assicurazioni vantaggiose: vita, infortuni, incendi, patrimoni mobili e immobili. Le condizioni sono buone; Skiller li invita a riflettere; riflettono; pensano a cose cui non avevano mai pensato; sono tentati; la tentazione comincia il suo cammino d'impulsi elettronici per i canali cerebrali... Mi rendo conto che sto influenzando l'obiettività delle operazioni con antipatie soggettive. In fondo, cosa ne so di questo Skiller? Forse la sua anima è candida, forse è lui l'unico innocente di questa storia, mentre tutte le risultanze definiscono la Roessler come un'avara sordida, Ogiva come una narcisista spietata, Inigo perduto nella sua sognante introversione, Belindo condannato alla brutalità muscolare per mancanza di modelli alternativi... Sono loro che hanno chiamato Skiller, ciascuno con un losco piano ai danni degli altri tre e della compagnia assicuratrice. Skiller è come una colomba in un nido di serpenti.

La macchina si ferma. C'è un errore, e la memoria centrale se ne è accorta; cancella tutto. Non ci sono innocenti da salvare, in questa storia. Ricominciamo.

No, non era Skiller che aveva suonato alla porta. Fuori pioviggina, c'è nebbia, non si distingue la fisionomia del visitatore. Entra nell'ingresso, si toglie il cappello bagnato, si scioglie la sciarpa di lana. Sono io. Mi presento. Waldemar, programmatore-analista d'elaboratori elettronici. Sa che la trovo molto bene, signora Roessler? No, non ci eravamo mai visti prima, ma ho presenti i dati del convertitore analogico-digitale e vi riconosco perfettamente tutti e quattro. Non si nasconda, signor Inigo! Sempre in forma, il nostro Belindo Kid! È la signorina Ogiva quella capigliatura viola che vedo affacciarsi alle scale? Eccovi tutti riuniti; bene: lo scopo della mia visita è questo. Ho bisogno di voi, proprio di voi così come siete, per un progetto che da anni mi tiene inchiodato al supporto di programmazione. I lavori occasionali per conto di terzi occupano le mie ore lavorative, ma la notte, chiuso nel mio laboratorio, mi dedico a studiare un organigramma che trasformerà le passioni individuali – aggressività, interessi, egoismi, vizi – in elementi necessari al bene universale. L'accidentale, il negativo, l'abnorme, in una parola l'umano potranno svilupparsi senza provocare la distruzione generale, integrandosi in un disegno armonioso... Questa casa è il terreno ideale per verificare se sono sulla strada giusta. Perciò vi chiedo d'accogliermi tra voi come inquilino, come amico...

La casa è bruciata, tutti sono morti, ma nella memoria dell'elaboratore io posso disporre i fatti secondo una logica diversa, entrare io stesso nella macchina, inserire un Waldemar-programma, portare a sei il numero dei personaggi, espandere nuove galassie di combinazioni e permutazioni. Ecco risorge la casa dalle ceneri, tutti gli abitanti tornano in vita, io mi presento con la mia valigia a soffietto, coi miei bastoni da golf, chiedo una camera in affitto...

La signora Roessler e gli altri mi ascoltano in silenzio. Diffidano. Sospettano che io lavori per le assicurazioni, che sia stato mandato lì da Skiller...

Non si può negare che i loro sospetti abbiano un fondamento. È per Skiller che lavoro, certo. Potrebbe essere stato lui a chiedermi d'entrare in confidenza con loro, di studiare i loro comportamenti, prevedere le conseguenze delle loro cattive intenzioni, classificare stimoli, pulsioni, gratificazioni, quantificarle, immagazzinarle nell'elaboratore...

Ma se questo Waldemar-programma non è che un doppione dello Skiller-programma, inserirlo nei circuiti è un'operazione inutile. Bisogna che Skiller e Waldemar siano antagonisti, il mistero si decide in una lotta tra noi due.

Nella sera piovigginosa due ombre si sfiorano sul cavalcavia arrugginito che porta a quello che una volta dev'esser stato un quartiere residenziale suburbano e di cui ora non resta che una villetta sbilenca su una duna tra i cimiteri d'automobili; le finestre illuminate della pensione Roessler affiorano nella nebbia come sulla retina d'un miope. Skiller e Waldemar non si conoscono ancora. All'insaputa l'uno dell'altro s'aggirano attorno alla casa. A chi tocca la prima mossa? È incontestabile che l'assicuratore ha diritto di precedenza.

Skiller suona alla porta. «Vogliate scusarmi, per conto della mia compagnia sto compiendo una ricerca sulle determinazioni ambientali delle catastrofi. Questa casa è stata scelta come campione rappresentativo. Col vostro permesso, vorrei tenere sotto osservazione il vostro comportamento. Spero di non scomodarvi troppo: si tratterà di riempire alcuni formulari ogni tanto. In compenso la compagnia vi offre la possibilità di stipulare a condizioni speciali assicurazioni di vario tipo: sulla vita, sugli immobili...»

I quattro ascoltano in silenzio; già ognuno sta pensando a come può trarre partito dalla situazione, sta macchinando un piano...

Ma Skiller mente. Il suo programma ha già previsto quello che ciascun abitante della casa farà. Skiller ha un quaderno in cui è elencata una serie d'atti violenti o prevaricatori di cui non resta che verificare la probabilità. Sa già che si produrranno una serie di sinistri dolosi, ma che la compagnia non dovrà versare alcun indennizzo, perché i beneficiari si distruggeranno a vicenda. Tutte queste previsioni gli sono state fornite da un elaboratore: non dal mio, devo ipotizzare l'esistenza d'un altro programmatore, complice di Skiller in una macchinazione criminosa. La macchinazione è così concepita: uno schedario raccoglie i nominativi dei nostri concittadini animati da impulsi distruttivi e fraudolenti; sono parecchie centinaia di migliaia; un sistema di condizionamenti e di controlli li porterà a diventare clienti della compagnia, ad assicurare tutto l'assicurabile, a produrre sinistri dolosi e ad assassinarsi a vicenda. La compagnia avrà predisposto la registrazione delle prove a suo vantaggio, e siccome chi fa il male è sempre portato a strafare, la quantità d'informazione comporterà una forte percentuale di dati inutili che farà da cortina fumogena sulle responsabilità della compagnia. Anzi, questo coefficiente d'entropia è già stato programmato: non tutti gli *Atti abominevoli* dell'indice hanno una funzione nella storia; alcuni creano semplicemente un effetto di «rumore». L'operazione della pensione Roessler è il primo esperimento pratico tentato dal diabolico assicuratore. Avvenuta la catastrofe, Skiller ricorrerà a un altro elaboratore, il cui programmatore sia all'oscuro di tutti i precedenti, per controllare se dalle conseguenze si può risalire alle determinazioni. Skiller fornirà a questo secondo programmatore tutti i dati necessari insieme a una quantità di «rumore» tale da produrre ingorghi sui canali e degradare l'informazione: il dolo degli assicurati sarà sufficientemente provato, ma non quello dell'assicuratore.

Il secondo programmatore sono io. Skiller ha giocato bene. Tutti i conti tornano. Il programma era fissato in precedenza, e la casa, il quaderno, il mio organigramma e il mio elaboratore non dovevano far altro che eseguirlo. Sono qui inchiodato a immettere-emettere dati d'una storia che non posso cambiare. È inutile che getti me stesso nell'elaboratore: Waldemar non salirà alla casa sulla duna, non conoscerà i quattro misteriosi abitatori, non sarà lui il soggetto (come aveva sperato) del verbo *sedurre* (oggetto: Ogiva). Anche Skiller del resto forse è solo un canale d'immissione-emissione: il vero elaboratore è altrove.

Ma la partita che si gioca tra due elaboratori non la vince quello che gioca meglio dell'altro, ma quello che capisce come fa l'avversario a giocare meglio di lui. Il mio elaboratore ora ha immagazzinato il gioco dell'avversario vincente: dunque ha vinto?

Suonano alla porta. Prima d'andare ad aprire devo rapidamente calcolare quali saranno le reazioni di Skiller quando saprà che il suo piano è stato scoperto. Anch'io ero stato convinto da Skiller a firmare un contratto d'assicurazione contro l'incendio. Skiller ha già previsto d'uccidermi e d'appiccare le fiamme al laboratorio: distruggerà le schede che lo accusano e dimostrerà che ho perso la vita tentando un incendio doloso. Sento la sirena dei pompieri che si avvicina: li ho chiamati in tempo. Tolgo la sicura alla pistola. Ora posso aprire.

La pompa di benzina

Avrei dovuto pensarci prima, ora è tardi. È passato mezzogiorno e mezzo e non mi sono ricordato di fare benzina; i distributori sono chiusi fino alle tre. Ogni anno due milioni di tonnellate di greggio sono estratti dalla crosta terrestre che le conservava da milioni di secoli nelle pieghe delle rocce sepolte tra strati di sabbia e d'argilla. Se parto adesso rischio di restare in panne per strada; è già da un pezzo che l'indicatore di livello mi avverte che il serbatoio è in riserva. È già da un pezzo che ci hanno avvertito che le riserve mondiali del sottosuolo potranno durare pressappoco vent'anni. Avrei avuto tutto il tempo di pensarci, sono il solito incosciente: quando nel cruscotto comincia ad accendersi la lucina rossa non ci faccio caso, oppure rimando, mi dico che resta ancora tutta la riserva da consumare, e poi mi passa di mente. No, forse questo era in altri tempi che mi capitava, di non badarci, di dimenticarmene: quando ancora la benzina sembrava un bene illimitato come l'aria. Adesso l'accendersi della spia luminosa mi comunica un senso d'allarme, di minaccia, indefinito, incombente; è questo il messaggio che ricevo, che registro tra i tanti segni d'angoscia che si depositano nelle pie-

194

ghe della mia coscienza e si sciolgono in uno stato d'animo che continuo a portarmi dietro, senza trarne nessuna precisa conseguenza pratica, come sarebbe quella di fare il pieno alla prima pompa che incontro. Oppure è un istinto di risparmio che mi invade, un riflesso d'avarizia: come so che il mio serbatoio sta per restare in secco, così sento assottigliarsi le scorte delle raffinerie, il flusso degli oleodotti, il carico delle petroliere che solcano i mari; le sonde frugano le profondità della terra e tirano su solo acqua sporca; il mio piede sull'acceleratore diventa cosciente che alla sua più lieve pressione gli ultimi sprazzi dell'energia accumulata dal nostro pianeta si vanno bruciando; la mia attenzione si concentra nel centellinare i superstiti fiotti di carburante; premo il pedale come se il serbatoio fosse un limone da strizzare senza sprecare una goccia; rallento; no: accelero, la reazione istintiva è che più corro più guadagno chilometri su questa spinta che potrebbe essere l'ultima.

Non mi fido d'uscire dalla città senza aver fatto il pieno. Un distributore che funziona dovrò pure trovarlo. Mi metto a perlustrare i viali, lungo i marciapiedi e le aiole, dove fioriscono le insegne colorate delle marche di benzina, ora meno aggressive d'una volta, ai tempi in cui tigri e altri animali mitici soffiavano fiamme nei motori. Mi lascio illudere ogni volta dal cartello «aperto» che serve soltanto a avvertire che quel chiosco oggi è aperto nelle ore di servizio e di conseguenza è chiuso nelle ore di chiusura. Alle volte c'è un benzinaio seduto su una sedia pieghevole che mangia un panino o sonnecchia: allarga le braccia, il regolamento è uguale per tutti, i miei gesti interrogativi sono inutili, già lo sapevo da prima. L'epoca in cui tutto sembrava facile è finita, l'epoca in cui potevi credere che le energie umane fossero illimitatamente al tuo servizio come le energie naturali: quando i distributori di benzina sbocciavano sul tuo cammino invitanti tutti in fila con l'uomo in tuta verde o blu o a righine, con la spugna grondante pronta a purificare il vetro contaminato dal massacro di sciami di moscerini.

O per meglio dire: tra la fine dei tempi in cui in certi mestieri si lavorava senza orario e la fine dei tempi in cui ci s'illudeva che certi consumi non si sarebbero mai consumati, c'è di mezzo un'intera era storica la cui durata varia a seconda dei paesi e delle esperienze individuali. Dirò allora che sto vivendo in questo stesso momento simultaneamente la ascesa il culmine il declino delle società dette opulente, così come una sonda a rotazione passa da un istante all'altro attraverso i millenni perforando le rocce sedimentarie del Pliocene, del Cretaceo, del Triassico.

Vado facendo il punto della mia situazione nello spazio e nel tempo, a conferma dei dati che mi comunicano il contachilometri da poco azzerato, l'indicatore del carburante fermo sullo zero, l'orologio dalla lancetta corta ancora alta nel quadrante meridiano. Nelle ore meridiane, quando la Tregua dell'Acqua avvicina la tigre e il cervo assetati allo stesso specchio d'acqua fangosa, la mia vettura cerca invano di che abbeverarsi e la Tregua della Nafta la scaccia di pompa in pompa. Nelle ore meridiane del Cretaceo gli esseri viventi fluttuavano alla superficie del mare, sciami d'alghe minutissime e sottili gusci di plancton, morbide spugne e taglienti coralli, crogiolandosi al calore solare che continuerà ad agire attraverso di loro nel lungo periplo che la vita affronta oltre la morte, quando ridotti a una pioggia leggera di detriti vegetali e animali si depositano sui bassi fondali e s'impastano nel fango, e col trascorrere dei cataclismi vengono masticati dalle mascelle delle rocce calcaree, digeriti nelle pieghe anticlinali e sinclinali, liquefatti in densi oli che risalgono le buie porosità sotterranee ed ecco che zampillano nel mezzo del deserto e s'infiammano riportando sulla superficie della terra una vampata del mezzodì primordiale.

Ecco che in mezzo al deserto del mezzodì cittadino ho avvistato una stazione di servizio aperta: le fluttua intorno uno sciame di macchine. Non c'è personale; è uno di quei distributori che funzionano a self-service. Gli automobilisti si danno da fare sguainando le canne cromate delle pompe, si fermano a metà d'un gesto per leggere le istruzioni, mani un po' incerte premono tasti, serpenti di gomma inarcano le loro spire retrattili. Le mie mani armeggiano attorno a una pompa, le mie mani cresciute in un'epoca di transizione, abituate a aspettare da altre mani il compiersi dei gesti più indispensabili alla mia sopravvivenza. Che questo stato di cose non fosse definitivo l'ho sempre saputo, in teoria; in teoria le mie mani non aspettano altro che riacquistare la loro attitudine a compiere tutte le opere manuali dell'uomo, come quando la natura inclemente circondava l'uomo armato delle sole sue mani, così come oggi ci circonda il mondo meccanico certo più agevole a manipolarsi della bruta natura: il mondo in cui d'ora in avanti le mani di ciascuno dovranno tornare a cavarsela da sole, senza poter più demandare a mani altrui il lavoro meccanico da cui dipende la vita di ogni giorno.

In pratica sono un po' deluse, le mie mani: il funzionamento della pompa è tanto semplice che ci si domanda come mai l'usanza del self-service non si sia già generalizzata da tempo. Ma la soddisfazione di fare da sé non è molto maggiore di quella che dà un distributore automatico di caramelle o altro congegno mangiasoldi. Le operazioni che richiedono una certa attenzione riguardano solo il pagamento della tariffa, basta mettere un biglietto da mille in un cassettino nella posizione giusta, in modo che un occhio fotoelettrico riconosca l'effigie di Giuseppe Verdi o forse soltanto il sottile filo metallico che attraversa ogni banconota. Il valore delle mille lire pare si concentri tutto in quel filo; quando il biglietto viene inghiottito una lampadina si accende, e io devo affrettarmi a inserire la tromba della pompa nella bocca del serbatoio facendo irrompere il getto che vibra compatto nella sua trasparenza iridata, affrettarmi a godere di questo dono inappetibile dai miei sensi ma avidamente concupito da quella parte di me stesso che è il mio mezzo di locomozione. Ho appena il tempo di pensare tutto questo ed ecco che con uno scatto secco il flusso s'interrompe, le lampadine si spengono, il complicato dispositivo messo in moto qualche secondo prima è già fermo ed inerte, il risveglio delle forze telluriche che i miei riti erano riusciti a evocare è durato un istante. Per le mie mille lire ridotte a un filo la pompa concede solo un filo d'essenza. Undici dollari al barile è il prezzo del greggio.

Devo ricominciare l'operazione da capo, imbucare un'altra banconota, poi altre ancora, a mille lire per volta. Il denaro e il mondo sotterraneo mantengono un vecchio legame di parentela; la loro storia si svolge attraverso cataclismi ora lentissimi ora improvvisi; mentre sto facendo rifornimento al self-service una bolla di gas si gonfia in un nero lago sepolto sotto il fondo del Golfo Persico, in silenzio un emiro si porta al petto le mani nascoste nelle larghe maniche bianche, in un grattacielo un computer della Exxon macina numeri, in alto mare una flotta di cargo riceve l'ordine di cambiare di rotta, io mi frugo nelle tasche, il filiforme potere della cartamoneta svanisce.

Mi guardo intorno: sono rimasto solo nel chiosco deserto. Il va e vieni delle macchine è inaspettatamente cessato intorno al solo rifornimento della città aperto a quest'ora, come se proprio a quest'ora dal convergere di lenti cataclismi si fosse prodotto l'improvviso cataclisma finale, forse il prosciugarsi simultaneo di pozzi oleodotti cisterne pompe carburatori coppe dell'olio. Il progresso ha i suoi rischi, l'importante è poter dire d'averli previsti. Già da tempo mi sono abituato a immaginare il futuro senza battere ciglio, già vedo file di macchine abbandonate invase da ragnatele, la città ridotta a un rottame di plastica, gente che corre portando dei sacchi sulle spalle inseguita dai topi.

Di colpo mi prende la smania di scappare; per andare dove? non so, non importa; forse solo per bruciare quel poco d'energia che ci resta e concludere il ciclo. Ho scovato un ultimo biglietto da mille per attingere ancora una dose di carburante.

Una macchina sport si ferma al distributore. La guidatrice, avvolta a spirale nei capelli spioventi, nella sciarpa, nel giro del collettone di maglia, alza da questa matassa un piccolo naso e dice: «Il pieno di super».

Io sto lì con la canna sospesa; tanto vale che gli ultimi ottani li dedichi a lei, perché brucino lasciandosi dietro almeno un ricordo di colori graditi alla vista, in un mondo in cui tutto è così poco attraente: operazioni che compio, materiali che adopero, salvezze che posso sperare. Svito il cappuccio del serbatoio della macchina sport, vi immetto il becco obliquo della pompa, schiaccio il tasto e nel sentire il getto che penetra, finalmente mi s'affaccia come il ricordo di un piacere lontano, una specie di forza vitale mediante la quale s'instaura un rapporto, una fluida corrente ora passa tra me e la sconosciuta al volante.

Si è voltata a guardarmi, solleva la gran bardatura degli occhiali, ha occhi verdi d'una trasparenza iridata. «Ma lei non è un benzinaio... Ma che fa... Ma perché...» Io vorrei farle capire che il mio è un estremo atto d'amore, vorrei coinvolgerla nell'ultima vampata che ancora il genere umano può far propria, un atto d'amore che è anche un atto di violenza, uno stupro, un amplesso mortale delle forze di sottoterra.

Le faccio segno di tacere e indico in giù con la mano sospesa come per avvertire che il miracolo potrebbe interrompersi da un momento all'altro, poi faccio un cenno circolare come per dire che non c'è differenza e intendo dire che attraverso di me un nero Plutone si protende dagli inferi per rapire attraverso di lei una fiammeggiante Proserpina, e così la Terra divoratrice spietata di sostanze viventi rinnova il suo ciclo.

Lei ride. Scopre due giovani incisivi appuntiti. Non sa. Nella prospezione d'un giacimento in California sono riemersi scheletri d'animali di specie estinte da cinquantamila anni, tra i quali una tigre dai denti a sciabola, certo attratta da uno specchio d'acqua che si estendeva sulla superficie del nero lago di pece da cui fu invischiata e inghiottita.

Ma il breve tempo che mi era concesso è finito: la corrente si blocca, la pompa resta inerte, l'amplesso è interrotto. C'è un grande silenzio, come se tutti i motori avessero sospeso gli scoppi, e la vita rotante del genere umano si fosse fermata. Il giorno in cui la crosta terrestre riassorbirà le città, quel sedimento di plancton che è stato il genere umano sarà ricoperto da strati geologici d'asfalto e cemento e tra milioni d'anni s'addenserà in giacimenti oleosi, non sappiamo a vantaggio di chi.

La guardo negli occhi: non capisce, forse solo ora comincia ad avere paura. Ora, conto fino a cento: se questo silenzio continua, la prenderò per mano e ci metteremo a correre.

L'uomo di Neanderthal

INTERVISTATORE – Vi parlo dalla pittoresca vallata di Neander, nei dintorni di Düsseldorf. Attorno a me si estende un anfrattuoso paesaggio di rocce calcaree. La mia voce risuona contro le pareti sia di caverne naturali sia di cave aperte dalla mano dell'uomo. Fu durante i lavori di queste cave di pietra che nel 1856 avvenne il ritrovamento d'uno dei più anziani abitatori di questa vallata, stabilitosi qui circa trentacinquemila anni or sono. L'uomo di Neanderthal: così, per antonomasia, si è convenuto di chiamarlo. Sono venuto a Neanderthal appunto per intervistarlo. Il signor Neander – mi rivolgerò a lui con quest'appellativo semplificato, durante la nostra intervista – il signor Neander, come forse sapete, è di carattere un po' diffidente, anzi scorbutico, data anche l'età avanzata, e sembra che non tenga in gran conto la fama internazionale di cui gode. Ciononostante ha cortesemente acconsentito a rispondere ad alcune domande per il nostro programma. Ecco che s'avvicina, col suo caratteristico passo un po' dondolante, e mi scruta da sotto alla prominente arcata sopraccigliare. Ne approfitto subito per rivolgergli una prima domanda indiscreta, che certo corrisponde a una curiosità di molti dei nostri ascoltatori. Signor Neander, lei s'aspettava di diventare tanto famoso? Voglio dire: per quel che si sa, in vita sua lei non ha mai fatto niente di speciale: e tutt'a un tratto s'è trovato a essere un personaggio così importante. Come se lo spiega?

NEANDER – Te lo dici tu. C'eri tu? Io sì che c'ero lì. Mica tu.

INTERVISTATORE – D'accordo, lei era qui. Ebbene, le sembra che basti?

NEANDER – C'ero già.

INTERVISTATORE – Questa mi pare un'utile precisazione. Il merito del signor Neander non sarebbe tanto il semplice fatto d'esserci, ma d'esserci *già*, d'esserci allora, prima di tanti altri. La priorità è infatti una dote che nessuno vorrà contestare al signor Neander. Per quanto... già prima ancora, come ricerche ulteriori hanno dimostrato – e come lei stesso può confermare, vero, signor Neander? – siano segnalate tracce, numerose anche, ed estese su vari continenti, d'esseri umani, proprio già umani umani...

NEANDER – Mio papà...

INTERVISTATORE – Su su fino a un milione d'anni prima...

NEANDER – Mia nonna...

INTERVISTATORE – Dunque la sua priorità, signor Neander, nessuno può contestarla, ma si tratterebbe d'una priorità relativa: diciamo che lei è il primo...

NEANDER – Sempre prima di te...

INTERVISTATORE – Siamo d'accordo, ma non è questo il punto. Voglio dire che lei è stato il primo a essere creduto il primo da quelli venuti dopo.

NEANDER – Te lo credi tu. Prima c'è mio papà...

INTERVISTATORE – Non soltanto, ma...

NEANDER – La nonna...

INTERVISTATORE – E prima ancora? Stia ben attento, signor Neander: la nonna di sua nonna...!

NEANDER – No.

INTERVISTATORE – Come no?

NEANDER – L'orso!

INTERVISTATORE – L'orso! Un antenato totemico! Come avete sentito, il signor Neander pone a capostipite della sua genealogia l'orso, certamente l'animale-totem che simboleggia il suo clan, la sua famiglia!

NEANDER – La tua! Prima c'è l'orso, dopo l'orso va, e si mangia la nonna... Dopo ci sono io, dopo io vado e l'orso io l'ammazzo... Dopo io me lo mangio, l'orso.

INTERVISTATORE – Permetta un momento che io commenti per i nostri ascoltatori le preziose informazioni che lei ci sta dando, signor Neander. Prima c'è l'orso! lei ha detto benissimo, affermando con grande chiarezza la priorità della natura bruta, del mondo biologico, che fa da scenario, è vero signor Neander?, che fa da lussureggiante scenario all'avvento dell'uomo, ed è quando l'uomo s'affaccia per così dire alla ribalta della storia, che inizia la grande avventura della lotta con la natura, prima nemica e poi man mano assoggettata ai nostri voleri, un plurimillenario processo che il signor Neander ha evocato così suggestivamente nella drammatica scena della caccia all'orso, quasi un mito della fondazione della nostra storia...

NEANDER – Ero io che c'ero. Mica te. C'era l'orso. Dove ci vado io ci viene l'orso. L'orso c'è tutt'intorno a dove ci sto io, se no, no.

INTERVISTATORE – Ecco. Mi pare che l'orizzonte mentale del nostro signor Neander comprenda solo la porzione del mondo che entra nella sua percezione immediata, escludendo la rappresentazione d'avvenimenti lontani nello spazio e nel tempo. L'orso è dove io vedo l'orso, egli dice, se non lo vedo io non c'è. Questo è certo un limite di cui vorremmo tener conto nel seguito della nostra intervista, evitando di porgli domande che esorbitino, è vero?, dalle capacità intellettuali d'uno stadio evolutivo ancora rudimentale...

NEANDER – Sei te. Cosa parli? Cosa sai? Il mangiare, no? è lo stesso mangiare che ci vado dietro io e che ci va dietro l'orso. Le bestie svelte il più bravo a pigliarle sono io; le bestie grosse il più bravo a pigliarle è l'orso. No? E dopo o è l'orso a portarle via a me o sono io a portarle via all'orso. No?

INTERVISTATORE – È chiarissimo, d'accordo, signor Neander, non c'è motivo perché lei s'innervosisca. È un caso diciamo di simbiosi tra due specie, una specie del genere homo e una specie del genere ursus; o meglio è una situazione di equilibrio biologico, se vogliamo: in mezzo alla ferocia spietata della lotta per la sopravvivenza, ecco stabilirsi come una tacita intesa...

NEANDER – E dopo, o è l'orso che m'ammazza, a me, o sono io che l'ammazzo, all'orso...

INTERVISTATORE – Ecco, ecco, la lotta per la sopravvivenza torna a scatenarsi, il più adatto trionfa, cioè non solo il più forte, – e il signor Neander, anche se ha le gambe un po' corte, è molto muscoloso, – ma soprattutto il più intelligente, e il signor Neander, nonostante la fronte dalla curvatura concava, quasi orizzontale, manifesta facoltà mentali sorprendenti... Questa è la domanda che volevo farle, signor Neander: c'è stato un momento in cui lei ha temuto che il genere umano soccombesse? Mi capisce, signor Neander, scomparisse dalla faccia della terra?

NEANDER – Mia nonna... Mia nonna per terra...

INTERVISTATORE – Il signor Neander ritorna su quest'episodio che deve essere una esperienza diciamo traumatizzante del suo passato... Anzi: del *nostro* passato.

NEANDER – L'orso per terra... Io mi sono mangiato l'orso... Io: mica te.

INTERVISTATORE – Volevo appunto chiederle anche questo: se c'è stato un momento in cui lei ha avuto la netta sensazione della vittoria del genere umano, la certezza che sarebbero stati gli orsi ad estinguersi, non noi, perché nulla avrebbe potuto fermare il nostro cammino, e che lei signor Neander si sarebbe un giorno trovato a meritare la nostra gratitudine, dico da parte dell'umanità giunta al più alto grado della sua evoluzione, gra-

titudine che io le esprimo oggi da questo microfono...

NEANDER – Mmm... Io se c'è da camminare cammino... se c'è da fermarmi mi fermo... se c'è da
mangiare l'orso mi fermo e mangio l'orso... Dopo io cammino, e l'orso resta fermo, un osso qui,
per terra, un osso lì, per terra... Dietro di me ci
sono gli altri che vengono, camminano, fino dove c'è l'orso, fermo, gli altri si fermano, mangia-
no l'orso... Mio figlio morsica un osso, un altro
mio figlio morsica un altro osso, un altro mio figlio morsica un altro osso...

INTERVISTATORE – È uno dei momenti culminanti
della vita d'un clan di cacciatori che il signor
Neander ci sta facendo rivivere in questo momento: il banchetto rituale dopo una fortunata
impresa di caccia...

NEANDER – Mio cognato morsica un altro osso, mia
moglie morsica un altro osso...

INTERVISTATORE – Come avete potuto sentire dalla
viva voce del signor Neander, le donne erano le
ultime a servirsi del banchetto rituale, il che costituisce una ammissione dell'inferiorità sociale
in cui era tenuta la donna...

NEANDER – La tua! Prima io porto l'orso a mia moglie, mia moglie fa il fuoco sotto l'orso, dopo io
vado a raccogliere il basilico, dopo torno col basilico e dico: ma di', dov'è che è la coscia dell'orso? e mia moglie dice: l'ho mangiata io, no? per
assaggiare se era ancora crudo, no?

INTERVISTATORE – Già nelle comunità di cacciatori
e raccoglitori – questo è quanto risulta dalla te-

stimonianza del signor Neander – vigeva una netta divisione del lavoro tra uomo e donna...

NEANDER – Dopo io vado a raccogliere la maggiorana, dopo torno con la maggiorana e dico: ma di', dov'è che è l'altra coscia dell'orso? e mia moglie dice: l'ho mangiata io, no? per assaggiare se non era già bruciata, no? E io le dico: ma di', l'origano adesso sai chi ci va a raccoglierlo? tu ci vai, le dico, sei tu che ci vai, per l'origano, di'.

INTERVISTATORE – Da questa gustosa scenetta familiare molti sono i dati di fatto che possiamo estrarre sulla vita dell'uomo di Neanderthal: primo, la conoscenza del fuoco e il suo impiego per la cucina; secondo, la raccolta d'erbe aromatiche e il loro uso gastronomico; terzo, il consumo della carne a grandi porzioni staccate, il che presuppone l'impiego di veri e propri strumenti da taglio, cioè uno stadio avanzato della lavorazione della selce. Ma sentiamo direttamente dall'intervistato se ha qualcosa da dirci su questo punto. Formulerò la domanda in modo da non influenzare la sua risposta: signor Neander, lei con le pietre, sì, quei bei ciottoli, sassoloni, come se ne trovano tanti qui intorno, non ha mai provato, non so, a giocarci, a picchiare un po' l'uno con l'altro, a vedere se sono proprio così resistenti?

NEANDER – Ma cosa parli del ciottolo? Ma lo sai cosa ci fai col ciottolo! Dang! Dang! Io col ciottolo: dang! Prendi il ciottolo, no? lo metti sulla pietra grossa, prendi quell'altro ciottolo, ci dai addosso, secco, dang! lo sai dove ci dai il colpo secco? è lì! è lì che ci dai: dang! il colpo secco!

dai! ahi! così ti schiacci il dito! Dopo ti succhi il dito, dopo fai dei salti, dopo riprendi quell'altro ciottolo, rimetti il ciottolo sulla pietra grossa, dang! Vedi che s'è spaccato in due, una scheggia grossa e una scheggia fina, una curvata di qua, l'altra curvata di là, prendi in mano questa qua che si tiene bene in mano, di qua così, prendi l'altra con l'altra mano, di lì così, e fai: deng! capisci che fai deng lì in quel punto lì, dai! ahi! ti sei infilzata la punta nella mano! dopo ti succhi la mano, dopo fai un giro su un piede solo, dopo riprendi la scheggia nella mano, l'altra scheggia nell'altra mano, deng!, ti è saltata una piccola scheggia, ahi!, in un occhio! ti freghi l'occhio con la mano, dai un calcio alla pietra grossa, riprendi in mano la scheggia grossa e la scheggia fina, deng! fai saltare un'altra scheggia piccola vicino vicino, deng! un'altra, deng! un'altra ancora, e vedi che dove sono saltate via ci rimane una tacca che rientra in dentro bella rotonda, e dopo un'altra tacca, e dopo un'altra tacca, così su e giù tutto in giro, e dopo anche dall'altra parte, deng! deng! vedi come viene tutto in giro, fino fino, tagliente tagliente...

INTERVISTATORE – Ringraziamo il nostro...

NEANDER – ... poi ci dai dei colpetti così, ding! ding! e fai saltare delle schegge piccole piccole, ding! ding! e vedi come rimane con tanti denti piccoli piccoli, ding! ding!

INTERVISTATORE – Abbiamo capito benissimo. Ringrazio a nome degli ascoltatori...

NEANDER – Ma cos'hai capito? È adesso che ci puoi

dare un colpo qui: dong! e così dopo ce ne puoi dare un altro dall'altra parte: dung!

INTERVISTATORE – Dung, esatto, passiamo a un'altra...

NEANDER – ... così puoi prenderlo bene in mano questo ciottolo lavorato da tutte le parti e dopo comincia il lavoro sul serio, perché prendi un altro ciottolo e lo metti sulla pietra grossa, dang!

INTERVISTATORE – E così di seguito, chiarissimo, l'importante è come si comincia. Passiamo...

NEANDER – E no, una volta che comincio, non mi viene più di smettere, c'è sempre per terra un ciottolo che sembra meglio di quello di prima e allora butto via quello di prima e prendo questo e deng! deng! e le schegge che saltano ce n'è tante da buttar via e tante che sono meglio ancora per lavorare, e allora ci do dentro su quelle lì, ding! ding! e viene fuori che posso far venir fuori tutto quello che voglio da tutti questi pezzi di pietra e più ci faccio delle tacche più posso farci delle altre tacche, dove ce ne ho fatta una ce ne faccio due, e poi dentro ognuna di queste due tacche ci faccio altre due tacche, e alla fine si sbriciola tutto e lo butto nel mucchio delle schegge sbriciolate che cresce cresce da questa parte, però dall'altra parte ci ho tutta la montagna di roccia ancora da fare a schegge.

INTERVISTATORE – Ora che il signor Neander ci ha descritto il lavoro snervante, monotono...

NEANDER – Monotono sei tu, monotono! Le sai fare le tacche nelle pietre, tu, le tacche tutte le stesse, le sai fare monotone le tacche? No, e allora cosa parli? Io sì che le so fare! E da quando mi ci sono messo, da quando ho visto che ci ho il pollice, lo vedi il pollice? Il pollice che lo metto di qui e le altre dita le metto di là e in mezzo ci sta una pietra, nella mano, stretta forte che non scappa, da quando ho visto che tenevo la pietra nella mano e ci davo dei colpi, così, oppure così, allora quello che posso fare con le pietre lo posso fare con tutto, con i suoni che mi escono dalla bocca, posso fare dei suoni così, a a a , p p p, gn gn gn, e allora non smetto più di fare suoni, mi metto a parlare, a parlare e non la smetto più, mi metto a parlare di parlare, mi metto a lavorare delle pietre che servono a lavorare delle pietre, e intanto mi viene da pensare, penso a tutte le cose che potrei pensare quando penso, e mi viene anche voglia di fare qualcosa per far capire agli altri qualcosa, per esempio di dipingermi delle strisce rosse sulla faccia, non per altro ma per far capire che mi sono fatto delle strisce rosse sulla faccia, e a mia moglie mi viene voglia di farle una collana di denti di cinghiale, non per altro ma per far capire che mia moglie ha una collana di denti di cinghiale, e la tua no, chissà cosa ti credi di avere tu che non ci avevo io, non mi mancava proprio niente, tutto quello che è stato fatto dopo già lo facevo io, tutto quello che è stato detto e pensato e significato c'era già in quello che dicevo e pensavo e significavo, tutta la complicazione della complicazione era già lì, basta che io prendo questo ciottolo con il pollice e il cavo della mano e le altre quattro dita che ci si piegano sopra, e già c'è tutto, ci avevo tutto quello che poi si è avuto, tutto quello che poi si è saputo e potuto ce lo avevo non perché era mio ma perché c'era, perché c'era già, perché era lì, mentre dopo lo si è avuto e saputo e potuto sempre un po' meno, sempre un po' meno di quello che poteva essere, di quello che c'era prima, che avevo io prima, che ero io prima, davvero io allora c'ero in tutto e per tutto, mica come te, e tutto c'era in tutto e per tutto, tutto quello che ci vuole per esserci in tutto e per tutto, anche tutto quello che poi c'è stato di balordo c'era già in quel deng! deng! ding! ding! dunque cosa vieni a dire, cosa ti credi di essere, cosa ti credi di esserci e invece non ci sei, se ci sei è solo perché io sì che c'ero e c'era l'orso e le pietre e le collane e le martellate sulle dita e tutto quello che ci vuole per esserci e che quando c'è c'è.

Montezuma

10 – Maestà... Santità!... Imperatore!... Generale! Non so come chiamarvi, sono obbligato a ricorrere a termini che solo in parte rendono le attribuzioni della vostra carica, appellativi che nella mia lingua d'oggi hanno perduto molto della loro autorità, suonano come echi di poteri svaniti... Così come è svanito il vostro trono, alto sugli altipiani del Messico, il trono dal quale regnaste sugli Aztechi, come il più augusto dei loro sovrani, e pure l'ultimo, Montezuma... Anche chiamarvi per nome mi è difficile: Motecuhzoma, così pare suonasse veramente il vostro nome, che nei libri di noi europei appare variamente deformato: Moteczuma, Moctezuma... Un nome che, secondo alcuni autori, vorrebbe dire «uomo triste». Davvero avreste ben meritato questo nome, voi che avete visto crollare un impero prospero e ordinato come quello degli Aztechi, invaso da esseri incomprensibili, armati di strumenti di morte mai visti. Dev'essere stato come se qui nelle nostre città calassero d'improvviso degli invasori extraterrestri. Ma noi, quel momento ce lo siamo già immaginato in tutti i modi possibili: almeno, così crediamo. E voi? Quando avete cominciato a ca-

pire che era la fine d'un mondo quella che stavate vivendo?

MONTEZUMA – La fine... Il giorno rotola verso il tramonto... L'estate marcisce in un autunno fangoso. Così ogni giorno – ogni estate... Non è detto che torneranno ogni volta. Per questo l'uomo deve ingraziarsi gli dei. Perché il sole e le stelle continuino a girare sui campi di granturco – ancora un giorno – ancora un anno...

IO – Volete dire che la fine del mondo è sempre lì sospesa, e tra tutti gli avvenimenti straordinari di cui la vostra vita fu testimone, il più straordinario era che tutto continuasse, non che tutto stesse crollando?

MONTEZUMA – Non sempre gli stessi dei regnano in cielo, non sempre gli stessi imperi riscuotono le tasse nelle città e nelle campagne. In tutta la mia vita ho onorato due dei, uno presente e uno assente: il Colibrì Azzurro Huitzilopochtli che guidava nella guerra noi Aztechi, e il dio scacciato, il Serpente Piumato Quetzacoatl, esule oltre l'oceano, nelle terre sconosciute dell'Occidente. Un giorno il dio assente avrebbe fatto ritorno al Messico e si sarebbe vendicato degli altri dei e dei popoli a loro fedeli. Io temevo la minaccia che gravava sul mio impero, lo sconvolgimento da cui avrebbe preso inizio l'era del Serpente Piumato, ma nello stesso tempo l'attendevo, sentivo in me l'impazienza per il compiersi di quel destino, pur sapendo che avrebbe portato con sé la rovina dei templi, la strage degli Aztechi, la mia morte...

IO – E davvero avete creduto che il dio Quetzacoatl sbarcasse alla testa dei conquistatori spagnoli, avete riconosciuto il Serpente Piumato sotto l'elmo di ferro e la barba nera di Hernán Cortés?

MONTEZUMA, *un lamento di dolore.*

IO – Perdonatemi, re Montezuma: quel nome riapre una ferita nel vostro animo...

MONTEZUMA – Basta... Questa storia è stata raccontata troppe volte. Che quel dio nella nostra tradizione era rappresentato col viso pallido e barbuto, e che vedendo (*emette un gemito*) Cortés pallido e barbuto lo avremmo riconosciuto come il dio... No, non è così semplice. Le corrispondenze tra i segni non sono mai certe. Tutto va interpretato: la scrittura tramandata dai nostri sacerdoti non è fatta di lettere come la vostra, ma di figure.

IO – Volete dire che la vostra scrittura pittografica e la realtà si leggevano allo stesso modo: entrambe dovevano essere decifrate...

MONTEZUMA – Nelle figure dei libri sacri, nei bassorilievi dei templi, nei mosaici di piume, ogni linea, ogni fregio, ogni striscia colorata può avere un senso... E nei fatti che accadono, negli avvenimenti che si svolgono sotto i nostri occhi, ogni minimo dettaglio può avere un senso che ci avverte delle intenzioni degli dei: lo sventolio d'una veste, un'ombra che si disegna sulla polvere... Se così è per tutte le cose che hanno un nome, pensa a quante cose mi sono venute incontro che non avevano un nome e di cui dovevo continuamente domandarmi il senso! Appaiono sul mare case di legno galleggianti con ali di tela gonfie di vento...

Le sentinelle del mio esercito cercano di rendere con parole tutto ciò che avvistano, ma come dire ciò che ancora non si sa cosa sia? Sulle spiagge sbarcano uomini vestiti d'un metallo grigio che luccica al sole. Montano addosso a bestie mai viste, somiglianti a robusti cervi senza corna, che lasciano sul suolo impronte a forma di mezzaluna. Invece d'archi e lance portano delle specie di trombe e ne scatenano il lampo e il tuono, e sfracellano le ossa da lontano. Cos'erano più strane, le figure dei nostri libri sacri, con i piccoli dei terribili tutti di profilo sotto acconciature fiammeggianti, o questi esseri barbuti e sudati e maleodoranti? Avanzavano nel nostro spazio d'ogni giorno, rubavano le galline dai nostri pollai, le arrostivano, ne spolpavano le ossa tal quale a noi: eppure erano tanto diversi da noi, incongrui, inconcepibili. Cosa potevamo fare, cosa potevo io che avevo tanto studiato l'arte d'interpretare le antiche figure dei templi e le visioni dei sogni, se non cercare d'interpretare queste nuove apparizioni? Non che queste somigliassero a quelle: ma le domande che io potevo farmi di fronte all'inspiegabile che stavo vivendo erano le stesse che mi facevo guardando gli dei che digrignavano i denti nelle pergamene dipinte, o scolpiti in blocchi di rame rivestiti di lamine d'oro e incrostati di smeraldi.

10 – Ma qual era il fondo della vostra incertezza, re Montezuma? Quando avete visto che gli spagnoli non desistevano dall'avanzare, che mandargli incontro ambasciatori con regali sontuosi non ser-

viva che a eccitare la loro avidità di metalli preziosi, che Cortés si faceva alleate le tribù che mal sopportavano le vostre vessazioni e le sollevava contro di voi, e massacrava le tribù che sobillate da voi gli tendevano imboscate, allora lo avete finalmente accolto come ospite con tutti i suoi soldati nella capitale, e avete lasciato che, da ospite, si trasformasse rapidamente in padrone, accettando che si proclamasse difensore del vostro trono pericolante, e, con questa scusa, vi trattenesse prigioniero... Non mi direte che potevate credere in Cortés...

MONTEZUMA – I bianchi non erano immortali, lo sapevo; certamente non erano gli dei che attendevamo. Ma avevano poteri che parevano al di là dell'umano: le frecce si piegavano contro le loro corazze; le loro cerbottane infuocate – o che altra diavoleria fosse – proiettavano dardi sempre mortali. Eppure, eppure, non si poteva escludere una superiorità anche da parte nostra, tale forse da pareggiare la bilancia. Quando li condussi a visitare le meraviglie della nostra capitale il loro stupore fu così grande! Il vero trionfo fu nostro, quel giorno, sui rozzi conquistatori d'oltremare. Uno di loro disse che nemmeno leggendo i loro libri d'avventure avevano mai fantasticato un simile splendore. Poi Cortés mi prese come ostaggio nel palazzo dove l'avevo ospitato; non contento di tutti i regali che gli facevo, fece scavare una galleria sotterranea fino alla stanza del tesoro e la saccheggiò; la mia sorte era contorta e spinosa come un cactus. Ma questi soldatacci che mi facevano la guardia passavano le giornate giocando ai dadi e barando, facevano rumori sconci, s'azzuffavano per gli oggetti d'oro che io gettavo come mancia. E io restavo il re. Ne davo prova ogni giorno: ero superiore a loro, ero io il vincitore, non loro.

IO – Speravate ancora di rovesciare la sorte?

MONTEZUMA – Forse tra gli dei in cielo era in corso una battaglia. Tra noi s'era stabilita una specie d'equilibrio, come se le sorti fossero sospese. Sui nostri laghi circondati da giardini biancheggiavano le vele dei brigantini costruiti da loro; dalle rive, i loro archibugi sparavano a salve. C'erano giorni in cui una improvvisa felicità s'impadroniva di me, e ridevo fino alle lacrime. E giorni in cui lacrimavo soltanto, tra le risate dei miei carcerieri. La pace risplendeva a intervalli tra le nuvole cariche di guerra. Non dimenticate che alla testa degli stranieri c'era una donna, una donna messicana, d'una tribù nostra nemica ma della nostra stessa razza. Voi dite: Cortés, Cortés, e credete che Malitzin – Doña Marina, come voi la chiamate – gli facesse solo da interprete. No, il cervello, o almeno metà del cervello di Cortés, era lei: erano due le teste che guidavano la spedizione spagnola; il disegno della Conquista nasceva dall'unione d'una maestosa principessa della nostra terra e d'un piccolo uomo pallido e peloso. Forse era possibile – io la vedevo possibile – una nuova era in cui si saldassero le qualità degli invasori – che io credevo divine – e la nostra civiltà tanto più ordinata e raffinata. Forse saremmo stati noi a risucchiarli, con tutte le loro armature i cavalli le spingarde, ad appropriarci dei loro poteri straordinari, a far sedere i loro dei al banchetto dei nostri dei...

10 – Così v'illudevate, Montezuma, per rifiutarvi di vedere le sbarre della vostra prigione! Eppure, sapevate che c'era un'altra via: quella di resistere, di battervi, di sopraffare gli spagnoli. Era questa la via scelta da vostro nipote, che aveva ordito una congiura per liberarvi... e voi l'avete tradito, avete prestato agli spagnoli quel che restava della vostra autorità per soffocare la ribellione del vostro popolo... Eppure Cortés in quel momento aveva con sé soltanto quattrocento uomini, isolati in un continente sconosciuto, e per giunta era in rotta con le stesse autorità del suo governo d'oltremare... Certo, per Cortés o contro Cortés, la flotta e l'armata di Spagna, dell'Impero di Carlo Quinto, incombevano sul Nuovo Continente... Era il loro intervento che temevate? Già vi rendevate conto che il rapporto di forze era schiacciante, che la sfida all'Europa era disperata?

MONTEZUMA – Sapevo che non eravamo uguali, ma non come dici tu, uomo bianco, non era pesabile, misurabile la diversità che mi fermava... Non era come quando tra due tribù dell'altopiano – oppure tra due nazioni del vostro continente – una vuole dominare sull'altra, ed è il coraggio e la forza nel combattere che decidono le sorti. Per battersi con un nemico bisogna muoversi nel suo stesso spazio, esistere nel suo stesso tempo. E noi ci scrutavamo da dimensioni diverse, senza sfiorarci. Quando lo ricevetti per la prima volta, Cortés, violando tutte le sacre regole, mi abbracciò. I sacerdoti e i dignitari della mia corte si coprirono il viso per lo scandalo. Ma a me sembra che i nostri corpi non si siano toccati. Non perché la mia carica mi poneva al di là d'ogni contatto estraneo, ma perché appartenevamo a due mondi che non s'erano mai incontrati né potevano incontrarsi.

10 – Re Montezuma, era quello il primo vero incontro dell'Europa con gli *altri*. Il Nuovo Mondo era stato scoperto da Colombo meno di trent'anni prima, e fin'allora s'era trattato solo d'isole tropicali, villaggi di capanne... Adesso era la prima spedizione coloniale d'un esercito di bianchi che incontrava non i famosi «selvaggi» che sopravvivono dall'età dell'oro della preistoria, ma una civiltà complessa e doviziosa. Ed è stato proprio in quel primo incontro tra il nostro mondo e il vostro – dico il vostro mondo come esempio d'ogni altro mondo possibile – che è avvenuto qualcosa d'irreparabile. È questo che mi domando, che domando a voi, re Montezuma. Di fronte all'imprevedibile, avete dimostrato prudenza, ma anche incertezza, remissività. E non avete certo evitato così al vostro popolo e alla vostra terra le stragi, la rovina che si perpetua attraverso i secoli. Forse bastava che vi foste opposti con risolutezza a quei primi conquistatori perché il rapporto tra mondi diversi si stabilisse su altre basi, avesse un altro seguito. Forse gli europei, ammoniti dalla

vostra resistenza, si sarebbero fatti più prudenti e rispettosi. Forse eravate ancora in tempo per estirpare dalle teste europee la pianta maligna che stava appena spuntando: la convinzione d'aver diritto di distruggere tutto ciò che è diverso, di saccheggiare le ricchezze del mondo, d'espandere sui continenti la macchia uniforme d'una triste miseria. Allora la storia del mondo avrebbe preso un altro corso, capite, re Montezuma, capisci, Montezuma, quel che ti dice un europeo d'oggi, che sta vivendo la fine d'una supremazia in cui tante straordinarie energie sono state volte al male, in cui tutto ciò che abbiamo pensato e compiuto convinti che fosse un bene universale porta il marchio d'una limitazione... Rispondi a chi si sente come te vittima e come te responsabile...

MONTEZUMA – Anche tu parli come stessi leggendo un libro già scritto. Per noi, allora, di scritto non c'era che il libro dei nostri dei, le profezie che si potevano leggere in cento modi. Tutto era da decifrare, ogni fatto nuovo dovevamo per prima cosa inserirlo nell'ordine che sostiene il mondo e fuori dal quale nulla esiste. Ogni nostro gesto era una domanda che aspettava una risposta. E perché ogni risposta avesse una controprova sicura io dovevo formulare le mie domande in due maniere: una in un senso e l'altra in senso contrario. Domandavo con la guerra e domandavo con la pace. Per questo ero alla testa del popolo che resisteva ed ero nello stesso tempo al fianco di Cortés che lo sottometteva crudelmente. Dici che non ci siamo battuti? La città di Messico si è ribellata agli spagnoli; piovevano sassi e frecce da ogni tetto. È stato allora che i miei sudditi m'hanno ucciso a colpi di pietra, quando Cortés mi mandò a rabbonirli. Poi gli spagnoli ricevettero rinforzi; gli insorti furono massacrati; la nostra città impareggiabile fu distrutta. La risposta di quel libro che andavo decifrando è stata: no. Per questo vedi la mia ombra che si aggira curva tra queste rovine, da allora.

IO – Ma anche per gli spagnoli voi eravate gli altri, i diversi, gli incomprensibili, gli inimmaginabili. Anche gli spagnoli dovevano decifrarvi.

MONTEZUMA – Voi vi appropriate delle cose; l'ordine che regge il vostro mondo è quello dell'appropriazione; tutto quello che avevate da capire era che noi possedevamo una cosa per voi degna d'appropriazione più d'ogni altra e che per noi era solo una materia graziosa per monili e ornamenti: l'oro. I vostri occhi cercavano oro, oro, oro; i vostri pensieri giravano come avvoltoi attorno a quell'unico oggetto di desiderio. Per noi invece l'ordine del mondo consisteva nel donare. Donare perché i doni degli dei continuino a colmarci, perché il sole continui a levarsi ogni mattino abbeverandosi del sangue che sgorga...

IO – Il sangue, Montezuma! Non osavo parlartene, e sei tu che lo nomini, il sangue dei sacrifici umani....

MONTEZUMA – Ancora... ancora... Perché voi invece, facciamo il conto, facciamo il conto delle vittime della vostra civiltà e della nostra...

IO – No, no, Montezuma, l'argomento non regge, sai che non sono qui per giustificare Cortés e i suoi, non sarò certo io a sminuire i delitti che la nostra civiltà ha commesso e continua a commettere, ma ora è della *vostra* civiltà che stiamo parlando! Quei giovani stesi sull'altare, i coltelli di pietra che sfracellano il cuore, il sangue che zampilla tutt'intorno...

MONTEZUMA – E allora? E allora? Gli uomini d'ogni tempo e d'ogni luogo s'affannano con un solo scopo: tenere insieme il mondo perché non si sfasci. Solo la maniera varia. Nelle nostre città tutte laghi e giardini quel sacrificio del sangue era necessario, come zappare la terra, come incanalare l'acqua dei fiumi. Nelle vostre città tutte ruote e gabbie la vista del sangue è orrenda, lo so. Ma quante più vite stritolano i vostri ingranaggi!

IO – D'accordo, ogni cultura va compresa dal suo interno, questo l'ho capito, Montezuma, non siamo più ai tempi della Conquista che ha distrutto i vostri templi e i vostri giardini. So che la vostra cultura sotto molti aspetti era un modello, ma allo stesso modo vorrei che tu riconoscessi i suoi aspetti mostruosi: che i prigionieri di guerra dovessero seguire quella sorte...

MONTEZUMA – Che bisogno avremmo avuto, altrimenti, di fare le guerre? Le nostre guerre erano gentili e festose, un gioco, in confronto con le vostre. Ma un gioco con uno scopo necessario: stabilire a chi toccasse coricarsi supino sull'altare nelle feste del sacrificio e offrire il petto al coltello d'ossidiana brandito dal Gran Sacrificatore. A

223

ciascuno poteva toccare quella sorte, per il bene di tutti. Le vostre guerre a cosa servono? Le motivazioni che tirate fuori ogni volta sono pretesti banali: le conquiste, l'oro.

IO – Oppure il non lasciarci dominare dagli altri, il non fare la fine che avete fatto voi con gli spagnoli! Se voi aveste ucciso gli uomini di Cortés, dirò di più, sta' a sentire bene quello che ti dico, Montezuma, se li aveste sgozzati a uno a uno sull'altare dei sacrifici, ebbene in questo caso avrei capito, perché era in questione la vostra sopravvivenza come popolo, come continuità storica...

MONTEZUMA – Vedi come ti contraddici, uomo bianco? Ucciderli... Io volevo fare qualcosa di più importante ancora: pensarli. Se riuscivo a pensare gli spagnoli, a farli entrare nell'ordine dei miei pensieri, a essere sicuro della loro vera essenza, dei o demoni maligni non importa, o esseri come noi soggetti a voleri divini o demoniaci, insomma a farne – da inconcepibili che erano – qualcosa su cui il pensiero potesse fermarsi e far presa, allora, solo allora, avrei potuto farmene degli alleati o dei nemici, riconoscerli come persecutori o come vittime.

IO – Per Cortés tutto era chiaro, invece. Questi problemi lui non se li poneva. Sapeva quel che voleva, lo spagnolo.

MONTEZUMA – Per lui era come per me. La vera vittoria che si sforzava d'ottenere su di me era quella: pensarmi.

IO – E c'è riuscito?

MONTEZUMA – No. Può sembrare che abbia fatto di

224

me quel che ha voluto: m'ha ingannato molte volte, ha saccheggiato i miei tesori, ha usato la mia autorità come scudo, m'ha mandato a morire lapidato dai miei sudditi: ma non è riuscito ad avermi. Ciò che io ero è rimasto fuori dalla portata dei suoi pensieri, irraggiungibile. La sua ragione non è riuscita ad avvolgere nella sua rete la mia ragione. È per questo che tu torni a incontrarmi tra le rovine del mio impero – dei vostri imperi. È per questo che vieni a interrogarmi. Dopo quattro secoli e più dalla mia sconfitta, non siete più sicuri d'avermi vinto. Le vere guerre e le vere paci non avvengono sulla terra ma tra gli dei.

IO – Montezuma, ormai m'hai spiegato perché era impossibile che voi vinceste. La guerra tra gli dei vuol dire che dietro gli avventurieri di Cortés c'era l'idea dell'Occidente, la storia che non si ferma, che avanza inglobando le civiltà per cui la storia s'è fermata.

MONTEZUMA – Anche tu sovrapponi i tuoi dei ai fatti. Che cos'è questo che tu chiami la storia? Forse è solo la mancanza d'un equilibrio. Mentre dove la convivenza degli uomini trova un equilibrio duraturo, là dici che la storia s'è fermata. Se con la vostra storia foste riusciti a rendervi meno schiavi, ora non verresti a rimproverare me di non avervi fermato in tempo. Cosa cerchi da me? Ti sei accorto di non sapere più cos'è, la vostra storia, e ti chiedi se non poteva avere un altro corso. E secondo te, quest'altro corso avrei dovuto darglielo io, alla storia. E come? Mettendomi a pensare con la vostra testa? Anche voi avete bisogno di classificare sotto i nomi dei vostri dei ogni cosa nuova che sconvolge i vostri orizzonti, e non siete mai sicuri che siano veri dei o spiriti maligni, e non tardate a caderne prigionieri. Le leggi delle forze materiali vi appaiono chiare, ma non per questo cessate d'aspettare che dietro ad esse vi si riveli il disegno del destino del mondo. Sì, è vero, in quell'inizio del vostro Sedicesimo Secolo forse la sorte del mondo non era decisa. La vostra civiltà del moto perpetuo non sapeva ancora dove stava andando – come oggi non sa più dove andare – e noi, la civiltà della permanenza e dell'equilibrio, potevamo ancora inglobarla nella nostra armonia.

IO – Era tardi! Avreste dovuto essere voi Aztechi a sbarcare presso Siviglia, a invadere l'Estremadura! La storia ha un senso che non si può cambiare!

MONTEZUMA – Un senso che gli vuoi imporre tu, uomo bianco! Altrimenti il mondo si sfascia sotto i tuoi piedi. Anch'io avevo un mondo che mi reggeva, un mondo che non era il tuo. Anch'io volevo che il senso di tutto non si perdesse.

IO – So perché ci tenevi. Perché se il senso del tuo mondo si perdeva, allora anche le montagne di teschi accatastate negli ossari dei templi non avrebbero avuto più senso, e la pietra degli altari sarebbe diventata un banco di macellaio imbrattato di sangue umano innocente!

MONTEZUMA – Così oggi guardi le tue carneficine, uomo bianco.

Prima che tu dica «Pronto»

Spero che tu sia rimasta accanto al telefono, che se qualcun altro ti chiama lo preghi di riagganciare subito in modo da tener libera la linea: sai che una mia chiamata può raggiungerti da un momento all'altro. Già tre volte ho composto il tuo numero ma il mio richiamo s'è perso negli ingorghi del circuito, non so se ancora qui, nella città da cui ti sto chiamando, o laggiù, nella rete della tua città. Dappertutto le linee sono cariche. Tutta l'Europa sta telefonando a tutta l'Europa.

Sono passate poche ore da quando mi sono accomiatato da te, in fretta e in furia; il viaggio è sempre lo stesso, e lo compio ogni volta macchinalmente, come in trance: un taxi che m'aspetta in strada, un aereo che m'aspetta all'aeroporto, un'auto della ditta che m'aspetta a un altro aeroporto, ed eccomi qui, a molte centinaia di chilometri da te. Il momento che conta per me è questo: ho appena posato le valigie, non mi sono ancora tolto il soprabito, e già stacco il ricevitore, compongo il prefisso della tua città, poi il tuo numero.

Il mio dito accompagna ogni cifra lentamente fino al dente d'arresto del disco, mi concentro nella pressione del polpastrello come se da essa dipendesse l'esattezza del percorso che ogni impulso deve imbroccare attraverso una serie di passaggi obbligati distantissimi tra loro e da noi, fino a scatenare la suoneria al tuo capezzale. È raro che l'operazione riesca al primo colpo: non so quanto dureranno le fatiche dell'indice inchiodato alla ruota, le incertezze dell'orecchio incollato alla buia conchiglia. Per dominare l'impazienza ricordo il tempo non lontano in cui spettava alle invisibili vestali della centrale il compito di assicurare la continuità di questo fragile flusso di scintille, di combattere invisibili battaglie contro fortezze invisibili: ogni pulsione interiore che mi spingeva a comunicare era mediata procrastinata filtrata da una procedura anonima e scoraggiante. Ora che una rete di connessioni automatiche s'estende su interi continenti e ogni utente può chiamare immediatamente ogni utente senza chiedere aiuto a nessuno, questa straordinaria libertà devo rassegnarmi a pagarla con dispendio di energia nervosa, ripetizione di gesti, tempi morti, frustrazioni crescenti. (A pagarla anche a suono d'unità a peso d'oro, ma tra l'atto del telefonare e l'esperienza delle crudeli tariffe non c'è una relazione diretta: le bollette arrivano dopo un trimestre, la singola interurbana automatica è annegata in una cifra globale che provoca lo sbalordimento delle catastrofi naturali contro le quali la nostra volontà trova subito l'alibi dell'inevitabile.) La facilità di telefonare costituisce una tentazione tale che telefonare diventa sempre più difficile, per non dire impossibile. Tutti telefonano a tutti a tutte le ore, e nessuno riesce a parlare a nessuno, gli appelli continuano a vagare su e giù per i circuiti di ricerca automatica, a sbatacchiare le ali come farfalle impazzite, senza riuscire a infilarsi in una linea libera, ogni utente continua a mitragliare numeri nei registratori convinto che si tratti solo d'una panne momentanea e locale. Vero è che il più gran numero di chiamate si fanno senza aver niente da dire, quindi l'ottenere o no la comunicazione non ha grande importanza, e danneggia tutt'al più quei pochi che avrebbero veramente da dirsi qualcosa.

Certo non è questo il mio caso. Se ho tanta fretta di telefonarti dopo poche ore d'assenza, non è perché mi sia rimasto da dirti qualcosa d'indispensabile, né è la nostra intimità interrotta al momento della partenza che sono impaziente di ristabilire. Se provassi a sostenere qualcosa di simile, subito m'apparirebbe il tuo sorriso sarcastico, o sentirei la tua voce che con tutta freddezza mi dà del bugiardo. Hai ragione: le ore che precedono le mie partenze sono piene di silenzi e disagio tra noi; finché resto al tuo fianco la distanza è incolmabile. Ma è proprio per questo che non vedo l'ora di chiamarti: perché solo in una telefonata interurbana, o meglio internazionale, possiamo sperare di raggiungere quel modo di stare che viene definito di solito come «stare insieme». È questo il vero motivo del mio viaggio, di tutti i miei continui spostamenti sulla carta geografica, dico la giustificazione segreta, quella che do a me stesso, senza la quale i miei obblighi professionali d'ispettore agli affari europei d'una impresa multinazionale mi sembrerebbero una routine senza senso: parto per poterti telefonare ogni giorno, perché io sono sempre stato per te e tu sei sempre stata per me l'altro capo d'un filo, anzi d'un cavo conduttore coassiale in rame, l'altro polo d'una sottile corrente a frequenza modulata che scorre nel sottosuolo dei continenti e sui fondali oceanici. E quando non c'è tra noi questo filo a stabilire il contatto, quando è la nostra opaca presenza fisica a occupare il campo sensorio, subito tutto tra noi diventa risaputo superfluo automatico, gesti parole espressioni del viso reazioni reciproche di gradimento o d'insofferenza, tutto quello che un contatto diretto può trasmettere tra due persone e che in quanto tale si può anche dire che venga trasmesso e ricevuto perfettamente, sempre tenendo conto dell'attrezzatura rudimentale di cui gli esseri umani dispongono per comunicare tra loro; insomma la nostra presenza sarà una bellissima cosa per entrambi ma non si può certo paragonare con la frequenza di vibrazioni che passa attraverso la commutazione elettronica delle grandi reti telefoniche e con l'intensità d'emozioni che essa può suscitare in noi.

Le emozioni sono tanto più forti quanto più il rapporto è precario azzardoso insicuro. Ciò che non ci soddisfa dei nostri rapporti quando siamo vicini, non è che vadano male, ma al contrario, che vadano come devono andare. Mentre ora mi ritrovo col fiato sospeso continuando a sgranare la serie di cifre nel disco rotante, ad aspirare con l'orecchio i fantasmi di suoni che affiorano dal ricevitore: un tamburellìo di «occupato» come in secondo piano, così vago da far sperare che sia un'interferenza fortuita, qualcosa che non ci riguarda; oppure uno smorzato sfrigolìo di scariche che potrebbe annunciare il successo d'una complicata operazione o almeno d'una sua fase intermedia, o ancora lo spietato silenzio del vuoto e del buio. In qualche inidentificabile punto del circuito il mio appello ha perduto la strada.

Stacco e riprendo la linea, riprovo con raddoppiata lentezza le prime cifre del prefisso che servono solo a trovare una via d'uscita dalla rete urbana e poi dalla rete nazionale. In alcuni paesi a questo punto una tonalità speciale avverte che questa prima operazione è andata a buon fine; se non si sente ronzare una musichetta è inutile snocciolare altre cifre: bisogna aspettare che una linea si sblocchi. Da noi alle volte è un brevissimo fischio che si fa sentire alla fine del prefisso, o a metà: ma non per tutti i prefissi e non in tutti i casi. Insomma, che quel fischiettino si sia sentito o no non dà nessuna certezza: emesso il segnale di via libera la linea può restare sorda o morta, oppure rivelarsi inaspettatamente attiva senz'aver dato prima alcun segno di vita. Conviene perciò non scoraggiarsi in nessun caso, comporre il numero fino all'ultima cifra e aspettare. Quando non succeda che il segnale d'occupato esploda a metà del numero, ad avvertire che è fatica sprecata. Meglio così d'altronde: posso riagganciare subito risparmiando una nuova inutile attesa, e ritentare. Ma il più delle volte, dopo essermi lanciato nella snervante impresa di marcare una dozzina di cifre nelle rotazioni del disco, resto senza notizie sui risultati della mia fatica. Dove starà navigando, in questo momento, il mio appello? Sarà ancora fermo nel registratore della centrale di partenza, aspettando il suo turno in coda con altre chiamate? Sarà stato già tradotto in comandi ai selettori, diviso in gruppi di cifre che si sguinzagliano a cercare l'imbocco delle successive centrali di transito? O è volato senza sfiorare ostacoli fino alla rete della tua città, del tuo quartiere, ed è rimasto lì impigliato come una mosca in una ragnatela protendendosi verso il tuo telefono irraggiungibile?

Dall'auricolare non mi viene nessuna notizia, e non so se devo darmi per vinto e riagganciare, o se tutt'a un tratto una lieve scarica frusciante m'avvertirà che il mio richiamo ha trovato via libera, è partito come una freccia e tra pochi secondi risveglierà come un eco il segnale della tua suoneria.

È in questo silenzio dei circuiti che ti sto parlando. So bene che, quando finalmente le nostre voci riusciranno a incontrarsi sul filo, ci diremo delle frasi generiche e monche; non è per dirti qualcosa che ti sto chiamando, né perché creda che tu abbia da dirmi qualcosa. Ci telefoniamo perché solo nel chiamarci a lunga distanza, in questo cercarci a tentoni attraverso cavi di rame sepolti, relais ingarbugliati, vorticare di spazzole di selettori intasati, in questo scandagliare il silenzio e attendere il ritorno d'un eco, si perpetua il primo richiamo della lontananza, il grido di quando la prima grande crepa della deriva dei continenti s'è aperta sotto i piedi d'una coppia d'esseri umani e gli abissi dell'oceano si sono spalancati a separarli mentre l'uno su una riva e l'altra sull'altra trascinati precipitosamente lontano cercavano col loro grido di tendere un ponte sonoro che ancora li tenesse insieme e che si faceva sempre più flebile finché il rombo delle onde non lo travolgeva senza speranza.

Da allora la distanza è l'ordito che regge la trama d'ogni storia d'amore come d'ogni rapporto tra viventi, la distanza che gli uccelli cercano di colmare lanciando nell'aria del mattino le arcate sottili dei loro gorgheggi, così come noi lanciando nelle nervature della terra sventagliate d'impulsi elettrici traducibili in comandi per i sistemi a relais: solo modo che resta agli esseri umani di sapere che si stanno chiamando per il bisogno di chiamarsi e basta. Certo gli uccelli non hanno da dirsi molto di più di quello che ho da dirti io, che insisto ad annaspare col dito nella ruota macinanumeri, sperando che uno scatto più fortunato degli altri faccia squillare il tuo campanello.

Come un bosco assordato dal cinguettìo degli uccelli, il nostro pianeta telefonico vibra di conversazioni realizzate o tentate, di trilli di suonerie, del tinnire d'una linea interrotta, del sibilo d'un segnale, di tonalità, di metronomi; e il risultato di tutto questo è un pigolìo universale, che nasce dal bisogno d'ogni individuo di manifestare a qualcun altro la propria esistenza, e dalla paura di comprendere alla fine che solo esiste la rete telefonica, mentre chi chiama e chi risponde forse non esistono affatto.

Ho sbagliato ancora una volta il prefisso, dalle profondità della rete m'arriva una specie di canto d'uccelli, poi brandelli di conversazioni altrui, poi un disco in una lingua straniera che ripete «il numero da voi chiamato non è attribuito attualmente». Alla fine l'incalzante «occupato» sopraggiunge a chiudere ogni spiraglio. Mi chiedo se anche tu in questo momento stai tentando di chiamarmi e inciampi negli stessi ostacoli, annaspi alla cieca, ti perdi nello stesso labirinto spinoso. Sto parlando come mai ti parlerei se tu fossi in ascolto; ogni volta che abbasso il tasto cancellando la fragile successione di numeri cancello pure ogni cosa che ho detto o pensato come in un delirio: è in questo cercarci ansioso insicuro frenetico il principio e il fine di tutto; mai sapremo l'uno dell'altro più di questo fruscìo che s'allontana e si perde per il filo. Una vana tensione dell'orecchio concentra la carica delle passioni, i furori dell'amore e dell'odio, quali io – durante la mia carriera di quadro d'una grande compagnia finanziaria, nelle mie giornate regolate da un preciso impiego del tempo – non ho mai avuto agio di sperimentare se non in modo superficiale e distratto.

È chiaro che ottenere la comunicazione a quest'ora è impossibile. Meglio arrendermi, ma se rinuncio a parlare con te devo subito tornare ad affrontare il telefono come uno strumento completamente diverso, come un'altra parte di me stesso cui corrispondono altre funzioni: c'è una serie d'appuntamenti d'affari in questa città che devo confermare d'urgenza, devo staccare il circuito mentale che mi collega con te e inserirmi in quello che corrisponde alle mie ispezioni periodiche alle ditte controllate dal mio gruppo o a partecipazione incrociata; cioè devo operare una commutazione non nel telefono ma in me stesso, nel mio atteggiamento verso il telefono.

Prima voglio fare un ultimo tentativo, ripeterò ancora una volta quella sequenza di numeri che ormai tiene il posto del tuo nome, del tuo viso, di te. Se va, va; se no, smetto. Intanto posso continuare a pensare cose che non ti dirò mai, pensieri indirizzati al telefono più che a te, che riguardano il rapporto che ho con te attraverso il telefono, anzi il rapporto che ho col telefono col pretesto di te.

Nel ruotare di pensieri che accompagnano il ruotare di lontani congegni mi si presentano visi d'altre destinatarie d'interurbane, vibrano voci di timbro diverso, il disco combina e scompone accenti, atteggiamenti e umori, ma non riesco a fissare l'immagine d'una interlocutrice ideale per la mia smania di collegamenti a lunga distanza. Tutto comincia a confondersi nella mia mente: i visi, i nomi, le voci, i numeri d'Anversa, di Zurigo, d'Amburgo. Non che io mi aspetti da un numero qualcosa di più che da un altro: né per la probabilità d'ottenere la comunicazione, né per quello che – una volta ottenuto il numero – potrei dire o sentire. Ma ciò non mi dissuade dall'insistere nei tentativi di stabilire un contatto con Anversa o Zurigo od Amburgo o quale altra città sia la tua: già l'ho dimenticato nella giostra di numeri che vado alternando da un'ora senza fortuna.

Ci sono cose che, senza che la mia voce ti giunga, sento il bisogno di dirti: e non importa se mi sto rivolgendo a te d'Anversa, o a te di Zurigo, o a te d'Amburgo. Sappi che il momento del mio vero incontro con te non è quando, ad Anversa, o a Zurigo, o ad Amburgo, ti ritrovo alla sera dopo le mie riunioni d'affari; quello è solo l'aspetto scontato, inevitabile del nostro rapporto: gli screzi, le riconciliazioni, i rancori, i ritorni di fiamma; in ogni città e con ogni interlocutrice si ripete il rituale che mi è consueto con te. Così come è un numero di Göteborg, o di Bilbao, o di Marsiglia, quello che spasmodicamente chiamerò (cercherò di chiamare) appena sarò di ritorno nella tua città, prima ancora che tu sappia del mio arrivo: un numero che ora mi sarebbe facile raggiungere con una telefonata urbana qui nella rete di Göteborg, o di Bilbao, o di Marsiglia (non mi ricordo più dove sono). Ma non è con quel numero che voglio parlare ora; è con te.

Ecco quello che – dato che non puoi sentirmi – ti dico. Da un'ora provo a turno a una serie di numeri tutti imprendibili quanto il tuo, a Casablanca, a Salonicco, a Vaduz: mi dispiace che restiate tutte ad aspettarmi accanto al telefono; il servizio si va facendo sempre peggiore. Appena sentirò una di voi dire «Allò!» dovrò stare attento a non sbagliarmi, ricordarmi a chi di voi corrisponde l'ultimo numero che ho chiamato. Riconoscerò ancora le voci? È da tanto che aspetto ascoltando il silenzio.

Tanto vale dirvelo ormai, dirlo a te ed a tutte voi, visto che nessuno dei vostri telefoni risponde: il mio grande progetto è trasformare l'intera rete mondiale in un'estensione di me stesso che propaghi ed attragga vibrazioni amorose, usare questo apparecchio come un organo della mia persona per mezzo del quale consumare un amplesso con tutto il pianeta. Sto per riuscirci. Aspettate accanto ai vostri apparecchi. Dico anche a voi, a Kyoto, a Sao Paulo, a Riad!

Purtroppo ora il mio telefono continua a dare occupato anche se aggancio e sollevo, anche se batto il tasto della forcella. Ecco adesso non si sente addirittura più nulla, si direbbe che sono tagliato fuori da qualsiasi linea. State calme. Dev'essere una panne momentanea. Aspettate.

La glaciazione

Con ghiaccio? Sì? Vado un momento in cucina a prendere il ghiaccio. E subito la parola «ghiaccio» si dilata tra lei e me, ci separa, o forse ci unisce, ma come la fragile lastra che unisce le rive d'un lago gelato.

Se c'è una cosa che detesto è preparare il ghiaccio. Mi obbliga a interrompere la conversazione appena avviata, nel momento cruciale in cui le domando: ti verso un po' di whisky? e lei: grazie, dice, appena tanto così, e io: con ghiaccio? E già mi inoltro verso la cucina come verso l'esilio, già mi vedo lottare coi cubetti di ghiaccio che non si staccano dalla bacinella.

Figurati, dico, è questione d'un attimo, anch'io prendo sempre il whisky con ghiaccio. È vero, il tintinnio del bicchiere mi fa compagnia, mi separa dal chiasso degli altri, nelle feste in cui c'è tanta gente, m'impedisce di perdermi nel fluttuare delle voci e dei suoni, quel fluttuare da cui lei s'è staccata quando è apparsa per la prima volta nel mio campo visuale, nel cannocchiale rovesciato del mio bicchiere da whisky, i suoi colori venivano avanti per quel corridoio tra due stanze piene di fumo e di musica a tutto volume, e io restavo lì col mio bicchiere senza andare né di qua né di là, e anche lei, mi vedeva in un'ombra deformata attraverso la trasparenza del vetro del ghiaccio del whisky, lei non so se sentiva quello che io le dicevo perché c'era tutto quel chiasso o anche perché forse non avevo parlato, avevo solo mosso il bicchiere e il ghiaccio ondeggiando aveva fatto dlin dlin, e anche lei ha detto qualcosa nella sua campanella di vetro e di ghiaccio, ancora non m'immaginavo di certo che sarebbe venuta a casa mia questa sera.

Apro il freezer, no, chiudo il freezer, prima devo cercare il secchiello. Abbi pazienza un momento, sono subito di ritorno. Il freezer è una caverna polare, stillante di ghiaccioli, la bacinella è saldata da una crosta di gelo alla lamiera, la strappo con sforzo, con i polpastrelli che diventano bianchi. Nell'igloo la sposa esquimese attende il cacciatore di foche sperduto sul pack. Ora basta una leggera pressione perché i cubetti si separino dalle pareti dei loro scompartimenti: invece niente, è un blocco compatto, anche se rovescio la bacinella non cascano, la metto sotto il rubinetto del lavandino, apro l'acqua calda, il getto sfrigola sulla lamiera incrostata di brina, le mie dita da bianche diventano rosse. Mi sono bagnato un polsino della camicia, questo è molto fastidioso, se c'è una cosa che detesto è sentirmi attorno al polso la tela bagnata appiccicata informe.

Metti un disco intanto, io vengo subito col ghiaccio, mi senti? Non mi sente finché non chiudo il rubinetto, c'è sempre qualcosa che impedisce di sentirci e vederci. Anche in quel corridoio, parlava attraverso i capelli che le coprivano metà della faccia, parlava sull'orlo del bicchiere e sentivo ridere i denti sul vetro, sul ghiaccio, ripeteva: gla-cia-zio-ne? come se di tutto il discorso che le avevo fatto le fosse arrivata solo quella parola, anch'io avevo i capelli spioventi sugli occhi e parlavo nel ghiaccio che si scioglieva lentissimo.

Batto il bordo della bacinella contro il bordo del lavandino, si stacca solo un cubetto, cade fuori dal lavandino, farà una pozza sul pavimento, devo raccoglierlo, è andato a finire sotto la credenza, devo inginocchiarmi, allungare una mano là sotto, mi scivola tra le dita, ecco che l'ho preso e lo butto nel lavandino, torno a passare la bacinella capovolta sotto il rubinetto.

Ero io che le avevo parlato della grande glaciazione che sta per tornare a coprire la terra, tutta la storia umana s'è svolta nell'intervallo tra due glaciazioni che ora sta per finire, i raggi intirizziti del sole riescono appena a raggiungere la crosta terrestre luccicante di brina, i grani del malto accumulano la forza solare prima che si disperda e tornano a farla fluire nella fermentazione dell'alcol, in fondo al bicchiere ancora il sole combatte la sua guerra coi ghiacci, nel curvo orizzonte del maelstrom ruotano gli icebergs.

D'improvviso tre quattro pezzi di ghiaccio si staccano e cascano nel lavandino, prima che io faccia a tempo a rivoltare la bacinella sono tutti crollati giù tamtambureggiando contro lo zinco. Annaspo nel lavandino per acchiapparli e metterli nel secchiello, adesso non distinguo più il pezzetto che s'era sporcato cadendo per terra, per recuperarli tutti è meglio lavarli un po' uno per uno, con l'acqua calda, no, con la fredda, già si stanno sciogliendo, in fondo al secchiello si forma un laghetto nevoso.

Alla deriva del mare artico gli icebergs formano un bianco ricamo lungo la corrente del golfo, la superano, avanzano verso i tropici come un branco di cigni giganti, ostruiscono l'imbocco dei porti, risalgono gli estuari dei fiumi, alti come grattacieli infilano i loro speroni taglienti tra i grattacieli stridendo contro le pareti di vetro. Il silenzio della notte boreale è percorso dal rombo dei crepacci che s'aprono inghiottendo intere metropoli, poi da un fruscio di slavine che attutiscono smorzano ovattano.

Chissà cosa sta combinando lei di là, così silenziosa, non dà segno di vita, poteva ben venire a darmi una mano, benedetta ragazza, nemmeno le è venuto in mente di dirmi: vuoi che ti aiuti? Per fortuna adesso ho finito, mi asciugo le mani con questo panno da cucina, ma non vorrei che mi restasse l'odore di panno da cucina, è meglio che mi lavi le mani di nuovo, adesso dove mi asciugo? Il problema è se l'energia solare accumulata nella crosta terrestre basterà a mantenere il calore dei corpi durante la prossima era glaciale, il calore solare dell'alcol dell'igloo della sposa esquimese.

Ecco ora torno da lei e potremo bere il nostro whisky tranquilli. Vedi cosa faceva lì, zitta zitta? S'è tolta i vestiti, è nuda sul divano di cuoio. Vorrei avanzare verso di lei ma la stanza è stata invasa dai ghiacci: cristalli d'un bianco abbagliante si sono ammucchiati sul tappeto, sui mobili; stalattiti translucide pendono dal soffitto, si saldano in colonne diafane, tra me e lei si è alzata una lastra verticale compatta, siamo due corpi prigionieri nello spessore dell'iceberg, riusciamo appena a vederci attraverso a un muro tutto spunzoni taglienti che scintilla ai raggi d'un sole lontano.

Il richiamo dell'acqua

Avanzo il braccio verso la doccia, poso la mano sulla manopola, la muovo lentamente facendola ruotare verso sinistra.

Mi sono appena svegliato, ho gli occhi ancora pieni di sonno, ma sono perfettamente cosciente che il gesto che sto compiendo per inaugurare la mia giornata è un atto decisivo e solenne, che mi mette in contatto con la cultura e la natura insieme, con millenni di civiltà umana e col travaglio delle ere geologiche che hanno dato forma al pianeta. Quello che chiedo alla doccia è innanzitutto di confermarmi come padrone dell'acqua, come appartenente a quella parte dell'umanità che ha ereditato dagli sforzi di generazioni la prerogativa di chiamare l'acqua a sé con la semplice rotazione d'un rubinetto, come detentore del privilegio di vivere in un secolo e in un luogo in cui si può godere in qualsiasi momento della più generosa profusione d'acque limpide. E so che perché questo miracolo si ripeta ogni giorno deve verificarsi una serie di condizioni complesse, per cui l'apertura d'un rubinetto non può essere un gesto distratto e automatico, ma richiede una concentrazione, una partecipazione interiore.

Ecco che al mio richiamo l'acqua sale per le tubature, preme nei sifoni, solleva e abbassa i galleggianti che regolano l'afflusso nelle vasche, appena una differenza di pressione l'attrae là accorre, propaga il suo appello attraverso gli allacciamenti, si dirama per la rete dei collettori, scolma e ricolma i serbatoi, preme contro le dighe dei bacini, scorre dai filtri dei depuratori, avanza lungo tutto il fronte delle condutture che la convogliano verso la città, dopo averla raccolta e accumulata in una fase del suo ciclo senza fine, forse stillata dalle bocche dei ghiacciai giù per scoscesi torrenti, forse aspirata dalle falde sotterranee, sgrondata attraverso le vene della roccia, assorbita dalle crepe del suolo, scesa dal cielo in un fitto sipario di neve pioggia grandine.

Mentre con la destra regolo il miscelatore, protendo la sinistra aperta a conca per buttarmi la prima acquata sugli occhi e svegliarmi definitivamente, e intanto sento a grande distanza le onde trasparenti e fredde e sottili che affluiscono verso di me per chilometri e chilometri d'acquedotto attraverso pianure valli montagne, sento le ninfe delle fonti che mi stanno venendo incontro per le loro liquide vie, e tra poco qui sotto la doccia m'avvolgeranno con le loro carezze filiformi.

Ma prima che una goccia s'affacci a ogni foro della rosa e si prolunghi in uno stillicidio ancora incerto per poi subito tutt'insieme gonfiarsi in una raggera di getti vibranti, bisogna sopportare l'attesa d'un intero secondo, un secondo d'incertezza in cui nulla m'assicura che il mondo contenga ancora dell'acqua e non sia diventato un pianeta secco e pulverulento come gli altri corpi celesti più prossimi, o comunque che ci sia acqua abbastanza perché io possa riceverla qui nel cavo delle mie mani, lontano come sono da ogni bacino o sorgente, nel cuore di questa fortezza di cemento e d'asfalto.

L'estate scorsa una grande siccità si è abbattuta sull'Europa del Nord, le immagini sul video mostravano distese di campi dall'arida crosta screpolata, fiumi già opulenti che scoprivano con imbarazzo il loro letto in secca, bovini che frugavano col muso nel fango cercando sollievo all'arsura, code di gente con anfore e brocche davanti a una magra fontana. Mi coglie il pensiero che l'abbondanza in cui ho diguazzato fino a oggi sia precaria e illusoria, che l'acqua potrebbe tornare a essere un bene raro, trasportato con sforzo, ecco l'acquaiolo col bariletto a tracolla che lancia il suo richiamo verso le finestre perché gli assetati scendano a comprare un bicchiere della sua preziosa mercanzia.

Se or ora una tentazione d'orgoglio titanico m'aveva sfiorato nell'impadronirmi delle leve di comando delle rubinetterie, è bastato un istante per farmi considerare il mio delirio d'onnipotenza come ingiustificabile e fatuo, ed è con trepidazione e umiltà che spio l'arrivo del fiotto che s'annuncia su per il tubo in un tremito sommesso. Ma se fosse solo una bolla d'aria che passa nelle condutture vuote? Io penso al Sahara che inesorabilmente avanza ogni anno di alcuni centimetri, vedo nella caligine tremolare il miraggio verdeggiante d'un'oasi, penso alle pianure aride della Persia drenate da canali sotterranei verso città dalle cupole di maiolica azzurra, percorse dalle carovane dei nomadi che ogni anno discendono dal Caspio al Golfo Persico e s'accampano sotto nere tende dove accoccolata per terra una donna che regge coi denti un velo di colore sgargiante versa l'acqua per il tè da un otre di cuoio.

Alzo il viso verso la doccia attendendo che tra un secondo gli schizzi mi piovano sulle palpebre semichiuse liberando il mio sguardo assonnato che ora sta esplorando la rosa di lamiera cromata cosparsa di forellini orlati di calcare, ed ecco che in essa m'appare un paesaggio lunare crivellato di crateri calcinosi, no, sono i deserti dell'Iran che sto guardando dall'aereo, punteggiati di piccoli crateri bianchi in fila a distanze regolari, che segnalano il viaggio dell'acqua nelle condutture da tremila anni in funzione: i «qanat» che scorrono sotterranei per tratti di cinquanta metri e comunicano con la superficie attraverso questi pozzi dove un uomo può calarsi, legato a una fune, per la manutenzione del condotto. Ecco anch'io mi proietto in quei crateri oscuri, in un orizzonte capovolto mi calo nei fori della doccia come nei pozzi dei «qanat» verso l'acqua che corre invisibile con smorzato fruscio.

Una frazione di secondo mi basta per ritrovare la nozione dell'alto e del basso: è dall'alto che l'acqua sta per raggiungermi, dopo un irregolare itinerario in salita. I percorsi artificiali dell'acqua presso le civiltà assetate scorrono sottoterra o in superficie, cioè non si differenziano molto dai percorsi naturali, mentre invece il gran lusso delle civiltà prodighe di linfa vitale è quello di far vincere all'acqua la forza di gravità, di farla salire perché poi ricada: ed ecco che si moltiplicano le fontane con giochi d'acqua e zampilli, gli acquedotti dagli alti pilastri. Nelle arcate degli acquedotti romani l'imponente lavoro murario fa da sostegno alla leggerezza d'un fiotto sospeso là in alto, un'idea che esprime un paradosso sublime: la monumentalità più massiccia e durevole al servizio di ciò che è fluido e passeggero e inafferrabile e diafano.

Tendo l'orecchio alla gabbia di correnti sospese che mi circonda e sovrasta, alla vibrazione che si propaga per la foresta dei tubi. Sento sopra di me il cielo dell'Agro Romano solcato dalle condutture in cima alle arcate in leggero declivio, e più su ancora dalle nuvole che in gara con gli acquedotti sollevano immense quantità d'acqua in corsa.

Il punto d'arrivo dell'acquedotto è sempre la città, la grande spugna fatta per assorbire e irrorare, Ninive e i suoi giardini, Roma e le sue terme. Una città trasparente scorre di continuo nello spessore compatto delle pietre e della calce, una rete di fili d'acqua fascia le mura e le vie. Le metafore superficiali definiscono la città come agglomerato di pietra, diamante sfaccettato o carbone fuligginoso, ma ogni metropoli può essere vista anche come una grande struttura liquida, uno spazio delimitato da linee d'acqua verticali e orizzontali, una stratificazione di luoghi soggetti a maree e inondazioni e risacche, dove il genere umano realizza un ideale di vita anfibia che risponde alla sua vocazione profonda.

O forse è la vocazione profonda dell'acqua quella che la città realizza: il salire, lo zampillare, lo scorrere dal basso verso l'alto. È nella dimensione dell'altezza che ogni città si riconosce: una Manhattan che innalza le sue vasche in vetta ai grattacieli, una Toledo che per secoli deve attingere barile su barile dalle correnti del Tago laggiù in fondo e caricarli sopra i basti dei muli, fino a che per la delizia del malinconico Filippo II scricchiolando si mette in moto «*el artificio de Juanelo*» e travasa su per il dirupo dal fiume all'Alcazar, miracolo di corta durata, il contenuto di secchi oscillanti.

Eccomi dunque pronto ad accogliere l'acqua non come qualcosa che mi sia dovuto naturalmente ma come un incontro d'amore la cui libertà e felicità è proporzionale agli ostacoli che ha dovuto superare. Per vivere in piena confidenza con l'acqua i Romani avevano posto al centro della loro vita pubblica le terme; oggi per noi questa confidenza è il cuore della vita privata, qui sotto questa doccia i cui rivoli tante volte ho visto scorrere giù per la tua pelle, naiade nereide ondina, e così ancora ti vedo apparire e sparire nello sventagliare degli spruzzi, ora che l'acqua sgorga obbedendo veloce al mio richiamo.

Lo specchio, il bersaglio

Nella mia giovinezza, passavo ore e ore davanti allo specchio a fare smorfie. Non che la mia faccia mi sembrasse tanto bella da non farmi stancare mai di guardarla; al contrario, non la potevo soffrire, la mia faccia, e fare smorfie mi dava la possibilità di provare delle facce diverse, facce che apparivano e venivano subito sostituite da altre facce, cosicché potevo credermi un'altra persona, molte persone d'ogni genere, una folla d'individui che a turno diventavano me, cioè io diventavo loro, cioè ognuno di loro diventava un altro di loro, e io intanto era come se non ci fossi.

Alle volte dopo aver provato tre o quattro facce differenti, o magari dieci o dodici, mi convincevo che una tra tutte era quella che io preferivo, e cercavo di farla riapparire, di muovere di nuovo i miei lineamenti in modo da modellarli in quella fisionomia che m'era riuscita così bene. Macché. Una smorfia, una volta sparita, non c'era più modo di riacchiapparla, di farla tornare a coincidere con la mia faccia. Nell'inseguirla, assumevo facce sempre diverse, facce sconosciute, estranee, ostili, che pareva m'allontanassero sempre di più da quella faccia perduta. Smettevo di fare smorfie, spaventato, e riappariva la mia faccia di sempre, e mi sembrava più insipida che mai.

Ma questi miei esercizi non duravano mai troppo a lungo. Accadeva sempre che una voce venisse a riportarmi alla realtà.

Fulgenzio! Fulgenzio! Dov'è andato a cacciarsi Fulgenzio? Al solito! Lo so bene come passa le giornate quel deficiente! Fulgenzio! T'abbiamo colto ancora una volta davanti allo specchio a far smorfie!

Freneticamente improvvisavo smorfie di colpevole colto in flagrante, di soldato che si mette sull'attenti, di bravo bambino obbediente, di idiota congenito, di gangster, d'angioletto, di mostro, una smorfia dopo l'altra.

Fulgenzio, quante volte dobbiamo dirti di non chiuderti in te stesso! Guarda fuori dalle finestre! Vedi come la natura lussureggia verzica stormisce frulla sboccia! Vedi come la città operosa ferve pulsa freme forgia sforna! E ognuno dei miei familiari a braccio levato m'indicava qualcosa là nel paesaggio, qualcosa che secondo loro avrebbe avuto il potere d'attrarmi entusiasmarmi comunicarmi l'energia che – sempre secondo loro – mi mancava. Io guardavo, guardavo, seguivo con lo sguardo i loro indici puntati, mi sforzavo d'interessarmi a quel che mi proponevano padre madre zie zii nonne nonni fratelli maggiori sorelle maggiori fratelli e sorelle minori cugini di primo secondo terzo grado insegnanti sorveglianti supplenti compagni di scuola compagni di vacanze. Ma nelle cose così com'erano non riuscivo a trovarci proprio niente di straordinario.

Invece, dietro alle cose forse si nascondevano altre cose, e quelle, quelle sì potevano interessarmi, anzi, mi riempivano di curiosità. Ogni tanto vedevo apparire e sparire qualcosa, o qualcuno, o qualcuna, non facevo in tempo a identificare queste apparizioni, e subito mi slanciavo per inseguirle. Era il rovescio d'ogni cosa che m'incuriosiva, il rovescio delle case, il rovescio dei giardini, il rovescio delle strade, il rovescio delle città, il rovescio dei televisori, il rovescio delle lavastoviglie, il rovescio del mare, il rovescio della luna. Ma quando riuscivo a raggiungere il rovescio, capivo che quello che cercavo io era il rovescio del rovescio, anzi il rovescio del rovescio del rovescio, no; il rovescio del rovescio del rovescio...

Fulgenzio, cosa fai? Fulgenzio, cosa cerchi? Stai cercando qualcuno, Fulgenzio? Io non sapevo cosa rispondere.

Alle volte, in fondo allo specchio, dietro la mia immagine, mi sembrava di vedere una presenza che non facevo in tempo a identificare e subito si nascondeva. Cercavo di scrutare nello specchio non me stesso ma il mondo alle mie spalle: nulla colpiva la mia attenzione. Stavo per volgere lo sguardo ed ecco la vedevo far capolino dal lato opposto dello specchio. La coglievo sempre con l'angolo dell'occhio là dove meno m'aspettavo, ma appena cercavo di fissarla era sparita. Nonostante la rapidità dei suoi movimenti questa creatura era fluente e soffice come se nuotasse sott'acqua.

Lasciavo lo specchio e mi mettevo a cercare il punto dove l'avevo vista sparire. – Ottilia! Ottilia! – la chiamavo, perché quel nome mi piaceva e pensavo che una ragazza che mi piaceva non potesse chiamarsi altrimenti. – Ottilia! Dove ti nascondi? – Avevo sempre l'impressione che fosse vicinissima, lì davanti, no: lì dietro, no; lì girato l'angolo, ma arrivavo sempre un secondo dopo che lei s'era spostata. – Ottilia! Ottilia! – Ma se mi avessero chiesto: chi è Ottilia? non avrei saputo cosa dire.

Fulgenzio, bisogna sapere cosa si vuole! Fulgenzio, non si può essere sempre così vago nei tuoi propositi! Fulgenzio, devi proporti uno scopo da raggiungere – un obiettivo – un traguardo – un bersaglio – devi avanzare fino alla meta – devi imparare la lezione, devi vincere il concorso, devi guadagnare tanto e risparmiare tanto!

Io puntavo sul punto d'arrivo, concentravo le forze, tendevo la volontà, ma il punto d'arrivo era di partenza, le mie forze erano forze centrifughe, la mia volontà tendeva solo a distendersi. Ce la mettevo tutta, m'impegnavo a studiare il giapponese, a prendere il diploma d'astronauta, a vincere il campionato di sollevamento pesi, a mettere insieme un miliardo in monete da cento lire.

Va' diritto per la tua strada, Fulgenzio! E io inciampavo. Fulgenzio, non deviare dalla linea che ti sei tracciato! E io m'impelagavo in zig-zag e su e giù. Supera d'un balzo gli ostacoli, figlio mio! E gli ostacoli mi cadevano addosso.

Ho finito per scoraggiarmi a tal punto che neanche le smorfie allo specchio mi venivano più in aiuto. Lo specchio non rifletteva più la mia faccia e nemmeno l'ombra d'Ottilia, ma solo una distesa di sassi sparpagliati come sulla superficie della luna.

Per rafforzare il mio carattere presi a esercitarmi nel tiro al bersaglio. I miei pensieri e le mie azioni dovevano diventare come i dardi che saettano nell'aria percorrendo la linea invisibile che termina in un punto esatto, al centro di tutti i centri. Però io non avevo mira. I miei dardi non colpivano mai il segno.

Il bersaglio mi pareva lontano come un altro mondo, un mondo tutto di linee precise, colori netti, regolare, geometrico, armonioso. Gli abitanti di quel mondo dovevano fare solo gesti esatti, scattanti, senza sbavature; per loro dovevano esistere solo le linee rette, i circoli tracciati col compasso, gli angoli tirati con la squadra...

Quando vidi per la prima volta Corinna, compresi che quel mondo perfetto era fatto per lei, mentre io ne ero ancora escluso.

Corinna tirava all'arco e zvlann! zvlann! zvlann! una freccia dopo l'altra si conficcavano nel centro.

– Sei una campionessa?

– Mondiale.

– Sai tendere l'arco in tanti modi diversi e ogni volta la traiettoria della freccia colpisce il bersaglio. Come fai?

– Tu credi che io sia qui e il bersaglio là. No: io sono e qui e là, sono quella che tira e sono il bersaglio che attira la freccia, e sono la freccia che vola e l'arco che scocca la freccia.

– Non capisco.

– Se diventerai anche tu così, capirai.

– Posso imparare anch'io?

– Posso insegnarti.

Nella prima lezione Corinna mi disse: – Per dare al tuo sguardo la fermezza che ti manca devi guardare il bersaglio a lungo, intensamente. Solo guardarlo, fisso, fino a perdertici dentro, a convincerti che al mondo c'è solo il bersaglio, e che nel centro del centro ci sei tu.

Io contemplavo il bersaglio. La sua vista m'aveva sempre comunicato un senso di certezza; ma adesso, più lo contemplavo, più questa certezza lasciava il passo ai dubbi. In certi momenti le zone rosse mi sembravano in rilievo sulle zone verdi, in altri momenti vedevo le verdi sopraelevate mentre le rosse sprofondavano giù. Dislivelli s'aprivano tra le linee, strapiombi, abissi, il centro era nel fondo d'un gorgo o sulla cuspide d'una guglia, i cerchi aprivano prospettive vertiginose. Mi sembrava che di tra le linee del disegno sarebbe uscita una mano, un braccio, una persona... Ottilia! Pensavo subito. Ma m'affrettavo ad allontanare dalla mente quel pensiero. Era Corinna che dovevo seguire, non Ottilia, la cui immagine bastava a far svanire il bersaglio come una bolla di sapone.

Nella seconda lezione Corinna mi disse: – È quando si rilassa che l'arco scocca la freccia, ma per questo deve prima esser ben teso. Se vuoi diventare esatto come un arco devi imparare due cose: a concentrarti in te stesso e a lasciare fuori di te ogni tensione.

Io mi tendevo e mi rilassavo come una corda d'arco. Facevo zvlann! ma poi facevo anche zvlinn! e zvlunn!, vibravo come un'arpa, le vibrazioni si propagavano nell'aria, aprivano parentesi di vuoto da cui prendevano origine i venti. Tra gli zvlinn! e gli zvlunn! dondolava un'amaca. Io salivo a spirale avvitandomi nello spazio ed era Ottilia che vedevo cullarsi nell'amaca tra gli arpeggi. Ma le vibrazioni si smorzavano. Io precipitavo.

Nella terza lezione Corinna mi disse: – Immagina d'essere una freccia e corri verso il bersaglio.

Io correvo, fendevo l'aria, mi convincevo di somigliare a una freccia. Ma le frecce a cui io somigliavo erano frecce che si perdevano in tutte le direzioni tranne che nella giusta. Correvo a raccogliere le frecce cadute. M'inoltravo in distese desolate e sassose. Era la mia immagine rimandata da uno specchio? Era la luna?

Tra i sassi ritrovavo le mie frecce spuntate, conficcate nella sabbia, storte, spennacchiate. E lì in mezzo c'era Ottilia. Passeggiava tranquilla come fosse in un giardino, raccogliendo fiori e ghermendo farfalle.

Io – Perché sei qui, Ottilia? Dove siamo? Sulla luna?

Ottilia – Siamo sul rovescio del bersaglio.

Io – E tutti i tiri sbagliati finiscono qui?

Ottilia – Sbagliati? Nessun tiro è sbagliato.

Io – Però qui le frecce non hanno nulla da colpire.

Ottilia – Qui le frecce mettono radici e diventano foreste.

Io – Non vedo che rottami, frantumi, calcinacci.

Ottilia – Tanti calcinacci uno sull'altro fanno un grattacielo. Tanti grattacieli uno sull'altro fanno un calcinaccio.

Corinna – Fulgenzio! Dove sei finito? Il bersaglio!

Io – Devo lasciarti, Ottilia. Non mi posso fermare qui con te. Devo puntare sull'altra faccia del bersaglio...

Ottilia – Perché?

Io – Qui tutto è irregolare, opaco, informe...

Ottilia – Guarda bene. Da vicino vicino vicino. Cosa vedi?

Io – Una superficie granulosa, picchiettata, bernoccoluta.

Ottilia – Passa tra bernoccolo e bernoccolo, granello e granello, venatura e venatura. Troverai il cancello d'un giardino, con verdi aiole e vasche limpide. Io sto là in fondo.

Io – Tutto quello che tocco è ruvido, arido, freddo.

Ottilia – Passa lentamente la mano sulla superficie. È una nuvola soffice come di panna montanta...

Io – Tutto è uniforme, sordo, compatto..

Ottilia – Apri bene occhi e orecchi. Senti il brulichio e luccichio della città, finestre e vetrine illuminate, e le trombe e lo scampanellio, e la gente bianca e gialla e nera e rossa, vestita di verde e azzurro e arancio e zafferano.

Corinna – Fulgenzio! Dove sei!

Io ormai non potevo più staccarmi dal mondo di Ottilia, dalla città che era anche nuvola e giardino. Qui le frecce invece d'andar dritte facevano tante giravolte, lungo linee invisibili che s'aggrovigliavano e si sbrogliavano, s'aggomitolavano e si sdipanavano, ma alla fine colpivano sempre il bersaglio, magari un altro bersaglio da quello che ci s'aspettava.

Il fatto strano era questo: più mi rendevo conto che il mondo era complicato frastagliato inestricabile più mi pareva che le cose da capire veramente fossero poche e semplici, e se le avessi capite, tutto mi sarebbe stato chiaro come le linee di un disegno. Avrei voluto dirlo a Corinna, oppure a Ottilia, ma era da un po' che non le incontravo, né l'una né l'altra, e, altro fatto strano, nei miei pensieri spesso le confondevo una con l'altra.

Per molto tempo non m'ero più guardato nello specchio. Un giorno per caso passando davanti a uno specchio ho visto il bersaglio, con tutti i suoi bei colori. Ho provato a mettermi di profilo, di tre quarti: vedevo sempre il bersaglio. – Corinna! – esclamai. – Eccomi, Corinna! Guarda: sono così come mi volevi! – Ma poi ho pensato che quel che vedevo nello specchio non ero solo io ma anche il mondo, dunque Corinna dovevo cercarla lì, tra quelle linee colorate. E Ottilia? Forse anche Ottilia era lì che appariva e spariva. Era Corinna o Ottilia che se fissavo il bersaglio-specchio molto a lungo, vedevo spuntare di tra i cerchi concentrici?

Alle volte mi pare d'incontrarla, l'una o l'altra, nel viavai della città, e che mi voglia dire qualcosa, ma questo succede quando due treni della metropolitana s'incrociano correndo in direzioni opposte, e l'immagine d'Ottilia – o di Corinna? – mi viene incontro e fugge via, e la seguo una serie di facce rapidissime inquadrate dai finestrini come le smorfie che facevo una volta allo specchio.

1

Durante tutto il mio soggiorno a xxx, ebbi stabilmente due amanti: Cate e Ilda. Cate mi veniva a trovare ogni mattino, Ilda nel pomeriggio; la sera andavo in società e la gente si meravigliava al vedermi sempre solo. Cate era formosa, Ilda era snella; nell'alternarle rinverdivo il desiderio, che tende tanto al variare che al ripetere.

Uscita Cate nascondevo ogni sua traccia; così per Ilda; e credo d'esser sempre riuscito a evitare che l'una sapesse dell'altra, allora e forse anche in seguito.

Naturalmente qualche volta avveniva che mi sbagliassi e dicessi all'una cose che avevano senso soltanto se dette all'altra: «Ho trovato oggi dal fioraio queste fucsie, tuo fiore preferito» oppure «Non scordarti anche stavolta qui la tua collana», causando stupori, ire, sospetti. Ma questi equivoci banali si dettero soltanto, se ben ricordo, agli inizi della doppia relazione. Molto presto appresi a separare completamente una storia dall'altra; ogni storia aveva il suo corso, la sua continuità di conversazione e d'abitudini, e non interferiva mai nell'altra.

Al principio credevo (ero, come si sarà capito, molto giovane, e cercavo di farmi un'esperienza) che il sapere amoroso fosse trasmissibile dall'una all'altra: entrambe ne sapevano molto più di me e io pensavo che le arti segrete che apprendevo da Ilda potessi insegnarle a Cate, e viceversa. M'ingannavo: non facevo che ingarbugliare ciò che vale solo quand'è spontaneo e diretto. Erano ognuna un mondo a sé, anzi ognuna un cielo in cui dovevo rintracciare posizioni di stelle e di pianeti, orbite, eclissi, inclinazioni e congiunzioni, solstizi ed equinozi. Ogni firmamento si muoveva secondo un diverso meccanismo e un diverso ritmo. Non potevo pretendere d'applicare al cielo d'Ilda le nozioni d'astronomia che avevo imparato osservando il cielo di Cate.

Ma devo dire che la libertà di scelta tra due linee di comportamento non mi si presentava nemmeno più: con Cate ero addestrato ad agire in un modo e con Ilda in un altro; ero condizionato in tutto dalla compagna con cui mi trovavo, al punto che cambiavano anche le mie predilezioni istintive ed i miei ticchi. Due io s'alternavano in me; e non avrei più saputo dire quale io fossi io veramente.

Quel che ho detto vale tanto per il corpo quanto per lo spirito: le parole dette all'una non potevano essere ripetute all'altra, e m'accorsi ben presto di dover variare anche i pensieri.

Quando mi prende la vena di raccontare e rievoco una delle tante peripezie della mia vita avventurosa, ricorro di solito a versioni che ho già collaudato in società, con passaggi che si ripetono alla lettera, con effetti calcolati anche nelle divagazioni e nelle pause. Ma certe bravate che non mancavano mai di riscuotere il favore di gruppi di persone sconosciute o indifferenti, a quattr'occhi con Cate o con Ilda non riuscivo a farle passare se non con una serie d'adattamenti. Certe espressioni che con Cate erano moneta corrente, con Ilda suonavano stonate; le battute di spirito che Ilda coglieva al volo e rilanciava, a Cate avrei dovuto spiegarle per filo e per segno, mentre ne apprezzava altre che lasciavano fredda Ilda; alle volte era la conclusione da trarre dall'episodio che cambiava da Ilda a Cate, cosicché ero portato a far finire i miei racconti in modo differente. A questo modo andavo pian piano costruendomi due diverse storie della mia vita.

Ogni giorno raccontavo a Cate e a Ilda quanto avevo visto e sentito girando la sera prima per i ritrovi e le riunioni della città: pettegolezzi, spettacoli, personaggi di spicco, abiti alla moda, stramberie. Nel primo mio periodo di rozzezza indifferenziata, il racconto che avevo fatto il mattino a Cate lo ripetevo pari pari a Ilda il pomeriggio: credevo così di risparmiare l'immaginazione che occorre spendere di continuo per tenere vivo l'interesse. M'accorsi ben presto che lo stesso episodio o interessava l'una e non l'altra, o, se le interessava entrambe, i dettagli che mi richiedevano erano diversi e diversi erano i commenti e i giudizi che ne derivavano.

Dovevo dunque trarre dallo stesso spunto due racconti ben distinti: e fin qui sarebbe niente; ma dovevo anche vivere in due modi differenti ogni sera i fatti che avrei raccontato l'indomani: osservavo ogni cosa e persona secondo l'ottica di Cate e l'ottica di Ilda, e giudicavo secondo i criteri dell'una e dell'altra; nelle conversazioni intervenivo con due repliche alla stessa battuta altrui, una che sarebbe piaciuta ad Ilda, l'altra a Cate; ogni replica provocava controrepliche cui dovevo rispondere duplicando ancora i miei interventi. Lo sdoppiamento agiva in me non quand'ero in compagnia d'una di loro, ma soprattutto quando loro erano assenti.

Il mio animo era diventato il campo di battaglia delle due donne. Cate e Ilda, che nella vita esteriore s'ignoravano, stavano continuamente fronte a fronte a contendersi il territorio dentro di me, s'azzuffavano, si sbranavano. Io esistevo solo per ospitare quella loro lotta di rivali accanite, di cui loro nulla sapevano.

Questa fu la ragione vera che mi spinse a partire d'improvviso da xxx, per non farvi più ritorno.

2

Ero attratto da Irma perché mi ricordava Dirce. Sedetti vicino a lei: bastava voltasse un poco il busto verso di me e nascondesse il viso dietro una mano (le dicevo cose sottovoce: lei rideva) perché l'illusione d'aver vicino Dirce prendesse forza. L'illusione svegliava ricordi, i ricordi desideri. Per trasmetterli in qualche modo a Irma, le afferrai una mano. Il contatto e il trasalimento di lei me la rivelarono qual era, diversa. Questa sensazione ebbe il sopravvento sull'altra, pur senza cancellarla, e risultando, in sé, gradevole. Compresi che mi sarebbe stato possibile trarre da Irma un doppio piacere: quello del rincorrere attraverso di lei la perduta Dirce, e quello di lasciarmi sorprendere dalla novità d'una presenza sconosciuta.

Ogni desiderio traccia dentro di noi un disegno, una linea che sale e ondeggia e talora si dissolve. La linea che evocava in me la donna assente poteva, un istante prima di declinare, intersecarsi con la linea della curiosità per la donna presente, e trasmettere la sua spinta in ascesa a questo disegno ancora tutto da tracciare. Il progetto meritava d'essere messo in pratica: prodigai le mie attenzioni per Irma, finché non la convinsi a raggiungermi nella mia stanza nottetempo.

Entrò. Lasciò cadere il mantello. Portava una camicetta leggera e bianca, di mussola, che il vento (la finestra essendo di primavera aperta) agitò. Compresi in quel momento che un meccanismo diverso dal previsto comandava le mie sensazioni e i miei pensieri. Era Irma a riempire tutto il campo della mia attenzione, Irma in quanto persona unica e irripetibile, pelle e voce e sguardo, mentre le somiglianze con Dirce che di quando in quando tornavano ad affacciarsi alla mia mente m'erano solo di disturbo, tanto che m'affrettavo a scacciarle.

Così il mio incontro con Irma diventò una battaglia con l'ombra di Dirce che non smetteva d'intrufolarsi tra noi, e ogni volta che mi pareva di star per cogliere l'indefinibile essenza d'Irma, d'aver stabilito tra noi due un'intimità che escludeva ogni altra presenza o pensiero, ecco che Dirce, l'esperienza già vissuta che era per me Dirce, imprimeva il suo calco a quanto stavo proprio allora vivendo e m'impediva di sentirlo come nuovo. Ormai Dirce, il suo ricordo e la sua impronta, non m'ispiravano altro che fastidio, costrizione, noia.

L'alba entrava dagli spiragli in lame di luce grigioperla, quando compresi con certezza che la mia notte con Irma non era quella che stava ora per finire ma un'altra simile a questa, una notte ancora da venire in cui avrei cercato il ricordo d'Irma in un'altra donna, e avrei sofferto prima nel ritrovarla e nel riperderla, e poi di non riuscire a liberarmene.

3

Ritrovai Tullia dopo vent'anni. Il caso, che allora ci aveva fatti incontrare e separati nel momento in cui avevamo compreso di piacerci, ci permise finalmente di riprendere il filo della storia al punto interrotto. «Non sei cambiata-cambiato in nulla», ci dicemmo a vicenda. Mentivamo? Non del tutto: «Io non sono cambiato-cambiata» era ciò che volevamo sia io che lei far sapere a me e a lei.

La storia ebbe stavolta il seguito da entrambi atteso. La bellezza matura di Tullia occupò dapprima tutta la mia attenzione, e solo in un secondo momento mi proposi di non dimenticare la Tullia della giovinezza, cercando di recuperare la continuità tra le due. Così, in un gioco che era venuto spontaneo parlando tra noi, fingevamo che il nostro distacco fosse durato ventiquattr'ore e non vent'anni, e i nostri ricordi fossero cose di ieri. Era bello ma non era vero. Se pensavo al me d'allora con la lei d'allora, m'apparivano due estranei; suscitavano in me simpatia, affetto quanto si vuole, tenerezza, ma quanto riuscivo ad immaginare di loro non aveva alcun rapporto con quanto eravamo ora Tullia ed io.

Certo restava in noi un rimpianto per quell'antico nostro incontro troppo breve. Era il rimpianto naturale per la giovinezza passata? Ma nella mia soddisfazione attuale mi pareva di non avere niente da rimpiangere; e anche Tullia, così come andavo ora conoscendola, era donna troppo presa nel presente per abbandonarsi a nostalgie. Rimpianto di quello che non avevamo potuto avere allora? Forse un po' ma non del tutto: perché (sempre nell'entusiasmo esclusivo per quel che il presente stava dandoci) mi pareva (forse a torto) che se quel nostro desiderio fosse stato appagato subito avrebbe potuto sottrarre qualcosa alla nostra contentezza d'oggi. Se mai il rimpianto riguardava ciò che quei due poveri giovani, quei due «altri», avevano perduto e che s'aggiungeva alla somma delle perdite che in ogni istante il mondo subisce e non recupera. Dall'alto della nostra improvvisa ricchezza, ci degnavamo di gettare uno sguardo compassionevole sugli esclusi: un sentimento interessato, perché ci faceva meglio assaporare il nostro privilegio.

Due conclusioni opposte posso trarre dalla mia storia con Tullia. Si può dire che l'esserci ritrovati cancella la separazione di vent'anni prima, annullando la perdita subita; e si può dire al contrario che rende quella perdita definitiva, disperata. Quei due (quella Tullia e quel me stesso d'allora) s'erano persi per sempre e non si sarebbero più ritrovati, e invano avrebbero chiesto soccorso alla Tullia e al me di adesso, i quali (l'egoismo degli amanti felici è senza limiti) s'erano ormai completamente dimenticati di loro.

4

D'altre donne ricordo un gesto, un modo di dire, un'inflessione, che fanno tutt'uno con l'essenza della persona e la distinguono come una firma. Non di Sofia. Ossia, ricordo di lei molto, forse troppo: palpebre, caviglie, una cintura, un profumo, molte predilezioni e ossessioni, le canzoni che sapeva, una confessione oscura, alcuni sogni; tutte cose che la mia memoria tiene ancora in serbo riferendole a lei ma che sono destinate a disperdersi perché non trovo il filo che le leghi e non so quale d'esse contenga la vera Sofia. Tra un dettaglio e l'altro c'è un vuoto; e presi uno per uno, potrebbero essere attribuiti a lei come a un'altra. Quanto all'intimità tra noi (ci incontrammo in segreto per più mesi), ricordo che ogni volta era diversa dall'altra, e questo che dovrebbe essere un pregio per chi come me teme l'ottundimento nell'abitudine, risulta ora un difetto, tant'è vero che non ricordo cosa mi spingesse a cercare proprio lei di volta in volta. Insomma, non ricordo proprio nulla.

Forse ciò che volevo capire di lei al principio era solo se mi piaceva o no: per questo la prima volta che la vidi l'assediai con una serie di interrogazioni, anche indiscrete. Lei, che pure avrebbe potuto schermirsi, mi subissò per ogni domanda d'una quantità di precisazioni e rivelazioni e allusioni sparpagliate e divaganti, al che io, sforzandomi di seguirla e di ritenere quanto m'andava via via dicendo, mi perdevo sempre più. Risultato: era come se non m'avesse risposto un bel niente.

Per stabilire una comunicazione in un linguaggio diverso, azzardai una carezza. I movimenti di Sofia, tutti intesi a contenere e a dilazionare il mio attacco, se non pure a respingerlo, facevano sì che la mia mano, nel momento che una zona del suo corpo le sfuggiva, scorresse su altre, cosicché la schermaglia mi portava a effettuare una ricognizione della sua pelle, frammentaria ma estesa. Insomma le notizie raccolte al tatto non erano meno copiose, anche se altrettanto incoerenti, di quelle registrate dall'udito.

Non ci restò che completare al più presto la nostra conoscenza su ogni piano. Ma era una donna unica quella che davanti a me si spogliava delle vesti visibili e di quelle invisibili imposte al contegno dagli usi del mondo, o erano molte donne insieme? E di queste, quale donna era ad attrarmi e quale a respingermi? Non c'era volta che non scoprissi in Sofia qualcosa che non m'aspettavo, e sempre meno avrei saputo rispondere al primo quesito che m'ero posto: mi piaceva o no?

Oggi, riandando con la memoria, ho un altro dubbio: o sono io che se una donna non nasconde nulla di sé non son capace di capirla; o era Sofia a mettere in atto una tattica sopraffina per non lasciarsi catturare da me manifestandosi con tanta abbondanza. E mi dico: tra tutte, proprio lei è riuscita a sfuggirmi, come se non l'avessi mai avuta. Ma l'ho davvero avuta? E poi mi chiedo: e chi ho avuto davvero? E poi, ancora: avere chi? che cosa? che vuol dire?

5

Conobbi Fulvia al momento giusto: il caso volle che il primo uomo della sua giovane vita fossi io. Purtroppo quest'incontro fortunato era destinato a essere breve; le circostanze m'imponevano di lasciare la città; la mia nave era già in rada; l'indomani era la data della partenza.

Eravamo entrambi consapevoli che non ci saremmo più rivisti, e consapevoli ugualmente che ciò faceva parte dell'ordine delle cose stabilito e ineluttabile; così la tristezza, presente in grado diverso in me e in lei, era da noi, pure in grado diverso, governata dal ragionamento. Fulvia presentiva il vuoto che avrebbe provato all'interrompersi della nostra consuetudine appena iniziata, ma anche la nuova libertà che le si apriva e le molteplici possibilità che ne sarebbero scaturite; io ero invece portato a situare gli episodi della mia vita in un disegno in cui il presente riceve luce e ombra dal futuro: di questo già indovinavo tutto l'arco fino al suo declinare; e di lei anticipavo il pieno attuarsi d'una vocazione amorosa che avevo contribuito a svegliare.

Così in questi ultimi indugi prima del commiato non potevo impedirmi di vedere me stesso soltanto come il primo d'una lunga serie d'amanti che certamente Fulvia avrebbe avuto, e di riconsiderare ciò che s'era svolto tra noi alla luce delle sue esperienze future. Capivo che ogni minimo dettaglio d'un amore che Fulvia aveva vissuto con assoluto abbandono sarebbe stato ricordato e giudicato dalla donna che lei sarebbe diventata in un breve volgere d'anni. Ora come ora, Fulvia accettava tutto di me senza giudicarlo: ma in un domani non lontano sarebbe stata in grado di paragonarmi ad altri uomini; ogni ricordo di me verrebbe da lei sottoposto a confronti, a distinzioni, a giudizi. Io avevo ancora di fronte un ragazza inesperta per la quale rappresentavo tutto il conoscibile, ma nello stesso tempo mi sentivo osservato dalla Fulvia di domani, esigente e disincantata.

La mia prima reazione fu di timore del confronto. I futuri uomini di Fulvia m'apparivano capaci d'ispirare un innamoramento totale, che per me non c'era stato. Fulvia m'avrebbe prima o poi giudicato indegno della fortuna che m'era toccata; il mio ricordo sarebbe stato tenuto vivo in lei dalla delusione, dal sarcasmo. Invidiavo i miei ignoti successori, sentivo che erano già lì al varco pronti a strapparmi Fulvia, li odiavo, già odiavo anche lei perché la sorte l'aveva destinata a loro...

Per sfuggire all'angoscia, invertivo il corso dei miei pensieri e dall'autodenigrazione passavo all'autoesaltazione. Ci riuscivo senza sforzo: per temperamento sono più propenso a farmi un alto concetto di me stesso. Fulvia aveva avuto una fortuna inestimabile a conoscermi per primo; ma tenendomi ormai come modello si sarebbe esposta a disinganni crudeli. Gli altri uomini che avrebbe incontrato dopo di me le sarebbero parsi rozzi, bolsi, balordi, bietoloni. Nella sua ingenuità certo credeva le mie virtù largamente diffuse tra gli individui del mio sesso; dovevo avvertirla che cercando in altri quel che aveva trovato in me non avrebbe conosciuto che delusioni. Tremavo di raccapriccio al pensiero che dopo un esordio così felice Fulvia cadesse in mani indegne, che l'avrebbero offesa, menomata, degradata. Li odiavo tutti quanti; e finivo per odiare anche lei perché il destino la strappava a me condannandola a contatti avvilenti.

In un senso o nell'altro, la passione che m'aveva colto penso fosse quella che ho sempre sentito nominare come «gelosia», affezione dell'animo da cui credevo che le circostanze m'avessero reso immune. Stabilito ch'ero geloso, non mi restava che comportarmi da geloso. Me la presi con Fulvia; dissi che non potevo sopportare la sua serenità alla vigilia del distacco; la accusai di non vedere l'ora di tradirmi; fui ingiusto con lei, crudele. Ma lei (certo per effetto dell'inesperienza) sembrava trovare naturale il mio cambiamento d'umore e non se ne preoccupò più che tanto. Con buon senso mi consigliò di non sprecare in recriminazioni inutili il poco tempo che ci rimaneva per stare insieme.

Allora m'inginocchiai ai suoi piedi, la supplicai di perdonarmi, di non infierire troppo sul mio ricordo quando avrebbe trovato un compagno degno di lei; io non speravo una grazia più grande che quella d'essere dimenticato. Mi trattò da matto; non permetteva si parlasse di quanto era avvenuto tra noi se non nei termini più lusinghieri; se no, disse, si guastava l'effetto.

Questo bastò a rinfrancarmi riguardo alla mia immagine, ma allora mi venne da commiserare Fulvia per la sua sorte futura: gli altri uomini erano gente dappoco; io dovevo avvertirla che la pienezza che aveva conosciuto con me non si sarebbe ripetuta con nessuno. Mi rispose che lei pure compiangeva me, perché la nostra felicità veniva da lei e me insieme, e separandoci ne saremmo rimasti privi entrambi; comunque per conservarla più a lungo dovevamo lasciarcene imbevere interamente senza pretendere di definirla dal di fuori.

La conclusione cui giunsi dal di fuori mentre dalla nave che levava l'ancora sventolavo il fazzoletto verso di lei sul molo, è questa: l'esperienza che occupava interamente Fulvia per tutto il tempo che aveva passato con me non era la scoperta di me e neanche la scoperta dell'amore o degli uomini, ma di se stessa; anche in mia assenza questa scoperta, ormai iniziata, non avrebbe avuto più fine; io ne ero stato solo uno strumento.

Henry Ford

INTERLOCUTORE – Mister Ford, sono incaricato di sottoporle... Il comitato di cui faccio parte ha il piacere d'informarla... Dovendo erigere un monumento al personaggio del nostro secolo il quale... La scelta del suo nome, all'unanimità... Per la maggiore influenza esercitata sulla storia dell'umanità... sull'immagine stessa dell'uomo... Considerata la sua opera e il suo pensiero... Chi se non Henry Ford ha cambiato il mondo, rendendolo completamente diverso da com'era prima di lui? Chi più di Henry Ford ha dato forma al nostro modo di vivere? Ecco dunque vorremmo che il monumento avesse la sua approvazione... Vorremmo che fosse lei a dirci come preferisce essere raffigurato, su che sfondo...

HENRY FORD – Come mi vede ora... Tra gli uccellini... Avevo cinquecento uccelliere come questa... Le chiamavo gli alberghi degli uccelli; la più grande era la casa dei balestrucci, con settantasei appartamenti; d'estate e d'inverno gli uccelli trovavano da me riparo e cibo e acqua da bere. Facevo riempire di becchime dei cestini appesi agli alberi con fili di ferro, per tutto l'inverno, e abbeveratoi con un dispositivo elettrico perché l'acqua non gelasse. Facevo mettere sugli alberi dei nidi artificiali di vari tipi: i reattini preferiscono i nidi dondolanti, che si agitano al vento; così non c'è pericolo che ci s'installino i passeri, che amano soltanto i nidi molto stabili. D'estate facevo lasciare le ciliegie sugli alberi e le fragole nei cespugli perché gli uccelli trovassero il loro cibo naturale. Tutte le specie d'uccelli degli Stati Uniti passavano per casa mia. E ho importato uccelli d'altri paesi: zigoli, fringuelli, pettirossi, stornelli, monachini, ghiandaie, fanelli, allodole... circa cinquecento specie in tutto.

INTERLOCUTORE – Ma, Mister Ford, io volevo parlare...

HENRY FORD – (*improvvisamente rigido, scattante, collerico*) Perché lei crede che gli uccelli siano soltanto qualcosa di grazioso, per le piume, i gorgheggi? Gli uccelli sono necessari per ragioni strettamente economiche! Distruggono gli insetti dannosi! Lei sa quale è stata l'unica volta che ho mobilitato l'organizzazione della Ford per sollecitare un intervento del Governo degli Stati Uniti? Fu per la protezione degli uccelli migratori! C'era un ottimo progetto di legge per istituire delle riserve che rischiava di finire insabbiato; quelli del Congresso non trovavano mai il tempo per approvarlo. Sfido: gli uccelli non votano! Allora io ho chiesto a ognuno dei seimila agenti della Ford, sparsi in tutti gli Stati Uniti, di mandare un telegramma al proprio rappresentante al Congresso. Ed ecco che a Washington cominciarono a prendersi a cuore il problema... La legge fu approvata. Guardi che io non ho mai voluto adoperare la Ford Motor Company a fini politici: ognuno di noi ha diritto alle sue opinioni e l'azienda non deve immischiarsene. Quella volta il fine giustificava i mezzi, io credo, ed è stata l'unica eccezione.

INTERLOCUTORE – Ma, Mister Ford, mi faccia capire: lei è l'uomo che ha cambiato l'immagine del pianeta attraverso l'organizzazione industriale, la motorizzazione... Cosa c'entrano gli uccellini?

HENRY FORD – Perché? Anche lei è di quelli che credono che le grandi fabbriche hanno fatto sparire gli alberi, i fiori, gli uccelli, il verde? È vero il contrario! È solo se sapremo servirci nel modo più efficace delle macchine e dell'industria che avremo tempo per goderci la natura! Il mio punto di vista è molto semplice: più tempo e più energia sciupiamo, meno ce ne resta per goderci la vita. Io non considero le macchine che portano il mio nome come delle semplici macchine: voglio che servano a provare l'efficacia della mia filosofia...

INTERLOCUTORE – Lei vuol dire che ha inventato e fabbricato e venduto automobili perché la gente potesse allontanarsi dalle fabbriche di Detroit e andare a sentir cantare gli uccelli nei boschi?

HENRY FORD – Una delle persone che ho ammirato di più è stato un uomo che ha dedicato la sua vita a osservare e descrivere gli uccelli, John Burroghs. Era un nemico giurato dell'automobile e di tutto il progresso tecnico! Ma sono riuscito a fargli cambiare idea... I ricordi più belli della mia vita sono le settimane di vacanza che ho organizzato con lui Burroghs e gli altri miei maestri e amici più cari, il grande Edison, e Firestone quello dei pneumatici... Viaggiavamo in carovane d'automobili, attraverso i monti Airondacks, gli Alleghany, dormivamo sotto le tende, contemplavamo i tramonti, le aurore sulle cascate...

INTERLOCUTORE – Ma non pensa che un'immagine come questa... rispetto a ciò che si sa di lei... il fordismo... sia, come dire?, fuorviante... un'evasione da tutto ciò che è essenziale?

HENRY FORD – No, no, è questo l'essenziale. La storia dell'America è una storia di spostamenti tra orizzonti sconfinati, una storia di mezzi di trasporto: il cavallo, i carri dei pionieri, le ferrovie... Ma solo l'automobile ha dato agli americani l'America. Solo con l'automobile essi sono diventati padroni dell'estensione del paese, ogni individuo padrone del suo mezzo di trasporto, padrone del suo tempo, in mezzo all'immensità dello spazio...

INTERLOCUTORE – Devo confessarle che l'idea che avevamo per il suo monumento... era un po' diversa... con uno sfondo di fabbriche... di catene di montaggio... Henry Ford, il creatore della fabbrica moderna, della produzione in serie... La prima automobile come prodotto di massa: il famoso «Modello T»...

HENRY FORD – Se è un'epigrafe che cercate, scolpite il testo dell'annuncio con cui ho lanciato il «Modello T» sul mercato, nel 1908. Non che io abbia mai avuto bisogno di pubblicità per le mie macchine, attenzione! Ho sempre sostenuto che la pubblicità è inutile, un buon prodotto non ne ha bisogno, si fa pubblicità da sé! Ma in quel foglietto c'erano le *idee* che io volevo diffondere. È nella pubblicità come educazione che io credo! Legga, legga.

«Costruirò una vettura per il grosso pubblico. Sarà sufficientemente grande per una famiglia, ma sufficientemente piccola perché possa soddisfare le esigenze d'un individuo. Sarà costruita con i materiali migliori, dagli uomini migliori che si possano trovare sul mercato, seguendo i progetti più semplici che la moderna ingegneria possa fornire. Ma avrà un prezzo così basso che nessun uomo che abbia un buon stipendio non sia in grado di possederla e di godere con la sua famiglia la benedizione di alcune ore di piacere nei grandi spazi aperti da Dio.»

INTERLOCUTORE – Il «Modello T»... Per quasi vent'anni le fabbriche di Detroit hanno prodotto solo questo tipo d'automobile... Lei parlava delle esigenze degli individui... Ma le attribuiscono anche questa battuta: «Ogni cliente può volere la macchina del colore che preferisce, purché sia il nero». Lei ha detto veramente questo, Mister Ford?

HENRY FORD – Sì, l'ho detto e l'ho scritto. Come crede che sia riuscito ad abbassare i prezzi, a mettere le auto alla portata di tutti? Crede che ci sarei riuscito se avessi prodotto nuovi modelli ogni anno, come i cappellini delle signore? La moda è una delle forme di spreco che io detesto. La mia idea era una macchina di cui ogni pezzo fosse sostituibile, in modo che non dovesse invecchiare mai. Solo così sono riuscito a trasformare l'auto da oggetto di lusso, da bene di prestigio a uno strumento di prima necessità, che vale per quello che serve...

INTERLOCUTORE – È stato un grande cambiamento nella mentalità industriale. Da allora in poi gli sforzi dell'industria mondiale hanno puntato a soddisfare i consumi di massa, a far crescere la domanda di questi consumi. È proprio per questo che l'industria si è orientata su prodotti che potessero invecchiare in fretta, che fossero da buttar via al più presto, in modo da poter venderne degli altri... Il sistema che lei ha inaugurato ha dato risultati che vanno contro tutte le sue idee fondamentali: si producono cose che si logorano presto, o passano di moda, per far posto ad altri prodotti che non valgono più dei primi ma che sembrano più nuovi e la cui fortuna dipende solo dalla pubblicità.

HENRY FORD – Non è questo che io volevo. Cambiare ha un senso fino a quando non si è raggiunto quell'*unico ottimo* modo di produrre che deve esistere per ogni cosa, quello che garantisce insieme la massima economia e il miglior rendimento. C'è una e una sola via per fare ogni cosa nel miglior modo possibile. Una volta raggiunta, perché cambiare?

INTERLOCUTORE – Il suo ideale dunque è un mondo di macchine tutte uguali?

HENRY FORD – In natura non ci sono due cose uguali. E anche l'uguaglianza tra gli uomini è un'idea sbagliata e disastrosa. Io non ho mai adorato l'uguaglianza, ma non me ne sono neanche fatto uno spauracchio. Anche se noi facciamo di tutto per produrre delle macchine identiche, composte di pezzi identici, tali che ogni pezzo può essere tolto da una macchina e montato su un'altra, questa identità è solo apparente. Ogni Ford, una volta messa su strada, ha un comportamento un po' diverso dalle altre Ford, e un bravo guidatore, dopo aver provato una macchina, riesce a riconoscerla tra tutte le altre, basta che si metta al volante, che giri la chiavetta dell'accensione...

INTERLOCUTORE – Ma il mondo che lei ha contribuito a creare... lei non ha mai avuto paura che fosse terribilmente uniforme, monotono?

HENRY FORD – È la povertà che è monotona. È lo spreco di energie e di vite. La gente che faceva la coda al nostro ufficio delle assunzioni era una folla di italiani, di greci, di polacchi, di ucraini, emigranti da tutte le province dell'impero russo e dell'impero austro-ungarico, che parlavano lingue e dialetti incomprensibili. Non erano nessuno, non avevano né mestiere né casa. Li ho messi io all'onore del mondo, ho dato a tutti un lavoro utile, un salario che li ha resi indipendenti, ne ho fatto degli uomini capaci di dirigere la propria vita. Ho fatto imparare loro l'inglese e i valori della nostra morale: questa era la sola condizione che ponevo; se non ci stavano non avevano che da andarsene. Ma chi era disposto a imparare non l'ho mai rimandato indietro. Sono diventati cittadini americani, loro e le loro famiglie, alla pari con chi era nato da famiglie che stavano qui da generazioni. Non mi importa quel che un uomo è stato: non gli chiedo il suo passato, né da dove viene, né che meriti ha. Non m'importa se è stato a Harvard e non m'importa se è stato a Sing Sing! M'interessa solo quel che può fare, quel che può diventare!

INTERLOCUTORE – Sì... diventare uniformandosi a un modello...

HENRY FORD – Capisco quel che lei vuol dire. La diversità tra gli uomini è il punto di partenza che ho sempre tenuto presente. Forza fisica, rapidità di movimenti, capacità di reagire a situazioni nuove sono tutti elementi che variano da individuo a individuo. La mia idea è stata questa: organizzare il lavoro dei miei stabilimenti in modo che chi era inabile o invalido potesse rendere quanto l'operaio più abile. Ho fatto classificare le mansioni d'ogni reparto a seconda se richiedevano maggiore robustezza, o forza e statura normale, o se potevano essere svolti anche da persone meno dotate fisicamente e meno svelte. È risultato che c'erano 2637 lavori che potevano essere affidati a operai con una gamba sola (*esegue mimicamente operazioni meccaniche fingendo d'essere senza una gamba*), 670 a chi mancava delle due gambe (*esegue come sopra*), 715 per quelli senza un braccio (*esegue come sopra*), 2 per chi è senza braccia (*esegue come sopra*) e 10 mansioni potevano essere svolte da ciechi. Un cieco incaricato di contare i bulloni in magazzino è stato capace di fare il lavoro di tre operai con gli occhi sani (*esegue*). È questo che chiamate uniformità? Io dico che ho fatto tutto il possibile perché ogni uomo superasse i suoi handicap. Anche i malati nei miei ospedali potevano lavorare e guadagnare la loro giornata. Stando a letto. Avvitando dei dadi su piccoli bulloni. Serviva anche a tener su il morale. Guarivano prima.

INTERLOCUTORE – Ma il lavoro alla catena di montaggio... Essere costretti a concentrare la propria attenzione su movimenti ripetitivi, secondo un ritmo incessante, imposto dalle macchine... Cosa ci può essere di più mortificante per lo spirito creativo... per la più elementare libertà di disporre dei movimenti del proprio corpo, della spesa della propria energia secondo il proprio ritmo, il proprio respiro... Fare sempre un'unica operazione, un'unico gesto, sempre allo stesso modo... Non è una prospettiva terrificante?

HENRY FORD – Per me, sì. Terrificante. Per me sarebbe inconcepibile fare sempre la stessa cosa tutto il giorno, e un giorno dopo l'altro. Ma non è così per tutti. La stragrande maggioranza degli uomini non ha nessun desiderio di fare dei lavori creativi, di dover pensare, decidere. È disposta semplicemente a fare qualcosa in cui possa impegnare il minimo di sforzo fisico e mentale. E per questa stragrande maggioranza la ripetitività meccanica, la partecipazione a un lavoro già disposto nei minimi particolari assicura una perfetta calma interiore. Certo, non devono essere dei tipi irrequieti. Lei è irrequieto? Io sì, moltissimo. Ebbene, io non la impiegherei in un lavoro di routine. Ma gran parte delle mansioni in una grande industria sono di routine, e come tali accette alla stragrande maggioranza della mano d'opera.

INTERLOCUTORE – Sono così perché le avete volute voi così... sia le mansioni, sia le persone...

HENRY FORD – Noi siamo riusciti a organizzare il lavoro nel modo che fosse più facile per chi doveva svolgerlo, e più redditizio. Dico noi i «creativi», se lei vuole chiamarci così, noi gli irrequieti, noi che non abbiamo pace fino a che non abbiamo trovato il modo migliore di fare le cose... Sa come mi è venuta l'idea della catena che porti il pezzo all'operaio senza che lui debba spostarsi verso il pezzo? Dalle fabbriche di carne in scatola di Chicago, vedendo i buoi squartati che passavano appesi a carrelli, su binari sopraelevati, per essere cosparsi di sale, tagliati, spolpati, sminuzzati... I buoi squartati che passavano, penzolanti... la nuvola di granelli di sale... le lame dei coltelli, zac, zac... e io vidi i telai della «Modello T» che scorrevano all'altezza delle mani degli operai che stringevano i bulloni...

INTERLOCUTORE – La creatività dunque è riservata a pochi... a chi progetta... a chi decide...

HENRY FORD – No! si allarga! Quanti erano gli artisti, i veri artisti, una volta? Oggi gli artisti siamo noi, noi che ci cimentiamo con la produzione e con gli uomini che producono! Una volta le funzioni creative si limitavano a mettere insieme colori o note o parole in un quadro, in una partitura, in una pagina... E per chi, poi? Per quattro fannulloni, stanchi della vita, che frequentano le gallerie e le sale da concerti! Siamo noi, i veri artisti, che inventiamo il lavoro delle industrie necessarie per milioni di persone!

INTERLOCUTORE – Ma dal lavoro manuale l'abilità professionale scompare!

HENRY FORD – Basta! Ripetete tutti la stessa solfa! È vero il contrario. L'abilità professionale trionfa, nella costruzione delle macchine e nell'organizzazione del lavoro, e così è messa a disposizione anche di chi non è abile e può raggiungere lo stesso rendimento dei più dotati! Sa di quanti pezzi è composta una Ford? Contando anche viti e bulloni sono circa cinquemila: pezzi grandi, medi, piccoli o addirittura minuscoli come rotelle d'un orologio. Gli operai dovevano camminare per il reparto per cercare ogni pezzo, camminare per portarli alla parte da montare, camminare per cercare la chiave inglese, il cacciavite, il saldatore... Le ore della giornata se ne andavano in questi andirivieni... Ed ecco che finivano sempre per scontrarsi l'uno con l'altro, per imbrogliarsi nei movimenti, per addossarsi, ammucchiarsi... Era questo il modo di lavorare umano, creativo, come piace a voi? Ho voluto fare in modo che l'operaio non avesse da correre avanti e indietro per i reparti. Era un'idea disumana? Ho voluto fare in modo che l'operaio non avesse da sollevare e trasportare pesi. Era un'idea disumana? Ho fatto collocare gli strumenti e gli uomini nell'ordine di successione delle operazioni, ho impiegato carrelli su binari o linee sospese, in modo che i movimenti delle braccia fossero ridotti al minimo. Basta risparmiare dieci passi al giorno a diecimila persone e avrete risparmiato cento chilometri di movimenti inutili e d'energie mal spese.

INTERLOCUTORE – Riassumiamo: lei vuole risparmiare movimenti alle persone che costruiscono automobili che rendono possibile a tutti di vivere in continuo movimento...

HENRY FORD – Il risparmio di tempo, caro signore, in un caso e nell'altro. Non c'è contraddizione! La prima pubblicità che ho fatto per convincere gli americani a comprarsi l'automobile era basata sul vecchio proverbio «Il tempo è denaro!» Così nel lavoro: per ogni operazione l'operaio deve disporre del tempo giusto: non un secondo di meno e non un secondo di più! E tutta la giornata dell'operaio deve essere ispirata agli stessi principi: deve abitare vicino alla fabbrica per non perdere tempo spostandosi. Per questo mi sono convinto che le fabbriche di media grandezza erano preferibili a quelle mastodontiche... e permettevano di evitare i grandi agglomerati urbani, gli slums, la sporcizia, la delinquenza, il vizio...

INTERLOCUTORE – Eppure Detroit... Le masse che si sono concentrate nel Middle West per trovar lavoro negli stabilimenti Ford...

HENRY FORD – Certo, solo io riuscivo a dare salari elevati e sempre crescenti, in un'epoca in cui nessun industriale voleva sentirne parlare... Ce n'è voluta per sostenere e imporre la mia idea a tutto il mondo economico americano: che sono i salari più alti che mettono in moto il mercato, non i profitti più alti. E per dare salari alti bisogna risparmiare sul sistema di produzione. È quello l'unico vero risparmio che rende: risparmiare non per accumulare ma per aumentare i salari, cioè il potere d'acquisto, cioè l'abbondanza. Il segreto dell'abbondanza sta in un equilibrio tra prezzi e qualità. È solo sull'abbondanza, non sulla scarsità, che si può costruire: questo sono stato io il primo a capirlo. Se un capitalista lavora con la speranza di vivere un giorno di rendita, è un cattivo capitalista. Io ho sempre pensato che non possedevo niente di mio, ma che gestivo la mia proprietà mettendo i migliori mezzi di produzione al servizio degli altri.

INTERLOCUTORE – Ma i sindacati vedevano le cose in un altro modo. E lei, per anni, di sindacati non ha voluto saperne... Ancora nel 1937 ha assoldato squadre di lottatori e di pugili professionisti per impedire con la forza gli scioperi...

HENRY FORD – C'erano dei mestatori che volevano creare dei conflitti tra la Ford e gli operai, conflitti che *non potevano sussistere logicamente*. Io avevo calcolato tutto in modo che gli interessi degli operai e quelli dell'azienda fossero la stessa cosa! Quelli tiravano fuori dei discorsi che non c'entravano niente con i miei principi e con i principi che appartengono al codice della natura. C'è una morale del lavoro, una morale del servizio che non può essere sconvolta, perché è una legge di natura. La natura dice: lavorate! prosperità e felicità possono essere raggiunte solo attraverso l'onesta fatica!

INTERLOCUTORE – Ma quello che fu chiamato il fordismo, o almeno le sue idee sociali che ebbero più popolarità – il posto di lavoro stabile, il salario sicuro, un certo grado di benessere –, hanno messo in moto nuove aspirazioni nella mentalità degli operai. Se ne rendeva conto, Mister Ford? Da una massa informe e fluttuante lei ha contribuito a creare una mano d'opera con qualcosa da difendere, con una dignità e una coscienza del proprio valore, e che quindi pretendeva sicurezza, garanzie, forza contrattuale, autonomia nel decidere la propria sorte. Era quel che si dice un processo irreversibile, che il suo paternalismo non poteva più contenere né controllare...

HENRY FORD – Io guardo sempre all'avvenire, ma per semplificare, non per complicare le cose. Invece tutti quelli che progettano l'avvenire, che propongono riforme, sembra che non vogliano altro che complicare, complicare. Tutti così i riformatori, i teorici politici, anche i presidenti: Wilson, Roosevelt... Mi sono trovato tante volte solo, a battermi contro un mondo inutilmente complicato: la politica, la finanza, le guerre...

INTERLOCUTORE – Non vorrà negare che le guerre abbiano portato vantaggi agli affari...

HENRY FORD – Questi vantaggi non erano nei miei piani. Sono sempre stato un pacifista, questo nessuno potrà mai negarlo. Mi sono sempre battuto contro l'intervento americano, nella Prima Guerra Mondiale e nella Seconda. Nel 1915 ho organizzato la Nave della Pace, ho attraversato l'Atlantico fino in Norvegia insieme a personalità delle Chiese, delle università, dei giornali, per chiedere alle potenze europee di sospendere le ostilità. Non hanno voluto ascoltarmi. E anche il mio paese è entrato in guerra. Anche la Ford si è messa a lavorare per la guerra. Allora ho dichiarato che non avrei toccato un soldo dei profitti delle commesse belliche.

INTERLOCUTORE – Lei promise di restituire quei profitti allo Stato, ma non risulta che lo abbia mai fatto...

HENRY FORD – Dopo la guerra dovetti affrontare una situazione finanziaria molto grave. Le banche...

INTERLOCUTORE – Le banche sono sempre stata un'altra delle sue bestie nere...

HENRY FORD – Il sistema finanziario è un'altra complicazione inutile, che ostacola la produzione, anziché facilitarla. Per me il denaro dovrebbe venire sempre dopo il lavoro, come risultato del lavoro, non prima. Fin che mi sono tenuto lontano dal mercato finanziario le cose mi sono andate bene: nel '29 mi sono salvato dalla Grande Crisi perché le mie azioni non erano quotate in borsa. Lo scopo del mio lavoro è la semplicità...

INTERLOCUTORE – Ma lei ha avuto un posto di primo piano nell'affermazione di questo sistema economico che dice di non approvare. Non pensa che le sue considerazioni siano ispirate, più che alla semplicità, a un certo semplicismo?

HENRY FORD – Negli affari io mi sono sempre basato su semplici idee americane. Wall Street è un altro mondo, per me... un mondo straniero... orientale...

INTERLOCUTORE – Un momento, Mister Ford... Lei probabilmente aveva tutte le ragioni per prendersela con Wall Street... Ma da questo a identificare l'alta finanza e tutti i suoi nemici con persone d'una data origine, d'una data religione... a scrivere articoli antisemiti sui suoi giornali... a raccoglierli in volume... a appoggiare quel fanatico in Germania che avrebbe preso il potere di lì a poco...

HENRY FORD – Le mie idee sono state fraintese... Io con quelle porcherie che sarebbero successe in Europa non c'entro... Parlavo per il bene dell'America e anche per il bene loro, di queste persone diverse da noi, che se volevano partecipare alla nostra comunità dovevano comprendere quali sono i veri principi americani... quelli coi quali m'onoro d'aver condotto la mia azienda...

INTERLOCUTORE – Lei ha realizzato moltissimo nella fabbricazione delle cose, Mister Ford... E ha pure teorizzato molto... Ma mentre le cose rispondevano sempre alle sue previsioni e ai suoi progetti, gli uomini no, negli esseri umani c'era sempre qualcosa che le sfuggiva, che deludeva le sue aspettative... È così?

HENRY FORD – La mia ambizione non è stata solo di fare le cose. Il ferro, la lamiera, l'acciaio non bastano. Le cose non sono fine a se stesse. Era a un modello d'umanità che pensavo. Non fabbricavo solo merci. Volevo fabbricare uomini!

INTERLOCUTORE – Vorrei che lei si spiegasse meglio su questo punto, Mister Ford. Posso sedermi? Posso accendere una sigaretta? Desidera?

HENRY FORD – Noooo! Non si fuma, qui! Le sigarette sono un vizio aberrante! Nelle fabbriche Ford le sigarette sono proibite! Ho dedicato alla campagna contro il fumo anni d'energie! Anche Edison m'ha dato ragione!

INTERLOCUTORE – Ma Edison era un fumatore!

HENRY FORD – Sigari soltanto. Qualche sigaro posso anche permetterlo. Anche la pipa. Fanno parte delle tradizioni americane. Ma la sigaretta no! Le statistiche dicono che i peggiori criminali sono fumatori di sigarette. La sigaretta porta diritto ai bassifondi! Ho pubblicato un libro contro la sigaretta!

INTERLOCUTORE – Non pensa che, oltre che della sigaretta, avrebbe potuto preoccuparsi degli effetti del ritmo di lavoro sulla salute? O dell'inquinamento provocato dalle sue fabbriche? O del puzzo di nafta che esce dagli scappamenti delle sue automobili!

HENRY FORD – Le mie fabbriche sono sempre pulite, ben illuminate e ventilate. Posso dimostrarle che quanto a preoccupazioni per l'igiene, nessuno ne ha avute più di me. Ora parlo della morale, della mente. Il mio progetto aveva bisogno d'uomini sobri, laboriosi, morali, con una vita familiare serena, con una casa pulita e ordinata!

INTERLOCUTORE – Per questo lei ha istituito un corpo di ispettori che indagavano sulla vita privata dei suoi dipendenti? che ficcavano il naso negli amori, nella vita sessuale di donne e di uomini?

HENRY FORD – Un dipendente che vive in modo appropriato farà il suo lavoro in modo appropriato. Ho selezionato il mio personale non solo in base al rendimento nel reparto, ma anche alla moralità in famiglia. E se preferivo assumere gli uomini ammogliati, i buoni padri di famiglia piuttosto che i libertini, gli ubriaconi e i giocatori, questo corrispondeva anche a criteri d'efficienza. Quanto alle donne, sono favorevole ad assumerle in fabbrica se hanno dei figli a carico da mantenere, ma se hanno un marito che guadagna, il loro posto è a casa!

INTERLOCUTORE – Eppure, i suoi primi avversari sono stati i ben pensanti puritani che combattevano la diffusione delle vetture a motore come un pericolo per le famiglie! I predicatori e i moralisti tuonavano contro l'automobile che serviva ai fidanzati per incontrarsi lontano da ogni sorveglianza; l'automobile che portava le famiglie a scorazzare la domenica invece d'andare in chiesa; l'auto per acquistare la quale s'ipotecava la casa, s'intaccavano i sacri risparmi; l'auto che creava nella popolazione parsimoniosa l'esigenza di vacanze prolungate e di viaggi; l'auto che diffondeva l'invidia tra i poveri e istigava alla rivoluzione...

HENRY FORD – I reazionari sono come i bolscevichi: non vedono la realtà, non sanno ciò che è necessario per le funzioni elementari della vita umana. Anch'io ho sempre agito secondo un'idea, un modello. Ma le mie idee sono sempre applicabili.

INTERLOCUTORE – Già, i bolscevichi... Cosa pensa del fatto che il comunismo sovietico abbia fin dall'inizio preso come modello il fordismo? Lenin e Stalin sono stati ammiratori della sua organizzazione produttiva e in una certa misura seguaci delle sue teorie. Anche loro volevano che tutta la società si organizzasse secondo criteri di rendimento industriale, anche loro volevano far funzionare le loro fabbriche e i loro operai come a Detroit, anche loro volevano educare masse di lavoratori disciplinati e puritani...

HENRY FORD – Ma quel che ho dato io ai miei operai loro non hanno saputo darglielo. La loro austerità, come quella dei reazionari, ha perpetuato la scarsità; la mia austerità portava l'abbondanza. Ma non m'interessa cosa hanno fatto loro: la mia idea era americana, pensata in funzione dell'America, animata dallo spirito dei pionieri, che non avevano paura della fatica e sapevano adattarsi al nuovo, che erano frugali e austeri ma volevano godere delle cose del mondo...

INTERLOCUTORE – Però quell'America dei pionieri è scomparsa... Cancellata dalla Detroit di Henry Ford...

HENRY FORD – Io vengo da quella vecchia America. Mio padre aveva una fattoria, nel Michigan. Ho cominciato a sperimentare le mie invenzioni alla fattoria, finanziato da mio padre; volevo costruire dei mezzi di trasporto pratici per l'agricoltura. L'automobile è nata in campagna. Sono rimasto affezionato all'America della mia infanzia e dei miei vecchi. Appena mi sono accorto che stava scomparendo, mi sono messo a comprare e collezionare vecchi attrezzi agricoli, aratri, ruote di mulini a acqua, carrozze, buggies, slitte, mobilio delle vecchie case di legno che andavano in rovina...

INTERLOCUTORE – Dunque, come l'ecologia nasce dalla stessa cultura che ha prodotto l'inquinamento, così l'antiquariato nasce dalla stessa cultura che ha imposto le cose nuove in luogo delle vecchie...

HENRY FORD – Ho comprato una antica taverna a Sudbury, nel Massachussets, con la sua insegna, il suo portico... Ho fatto anche ricostruire la strada di terra battuta da cui passavano le carovane dirette verso il West...

INTERLOCUTORE – È vero che per ripristinare l'atmosfera del tempo dei cavalli e delle diligenze intorno a quella vecchia osteria, lei ha fatto deviare l'autostrada, quell'autostrada su cui rombano a tutta velocità le macchine Ford?

HENRY FORD – C'è posto per tutto nella nostra America, non crede? La campagna americana non deve scomparire. Sono sempre stato contrario all'esodo degli agricoltori dalle campagne. Ho progettato un complesso idroelettrico sul Tennessee per fornire energia a basso costo agli agricoltori. Gli avrei fornito elettrodomestici, concimi, e si sarebbero tenuti lontano dalle città. Non mi hanno voluto sentire, né il governo, né i farmers. Non capiscono mai le idee semplici: le funzioni elementari della vita umana sono tre: l'agricoltura, l'industria e i trasporti. Tutti i problemi dipendono dal modo come si coltiva, come si fabbrica e come si trasporta, e io ho sempre proposto le soluzioni più semplici. Il lavoro dell'agricoltore era inutilmente complicato. Solo il cinque per cento della loro energia era impiegato utilmente.

INTERLOCUTORE – Non sente nostalgia di quella vita, allora?

HENRY FORD – Se lei pensa che io rimpianga qualcosa del passato, vuol dire che non ha capito niente di me. Non me ne importa niente, del passato! Non credo nell'esperienza della storia! Già, riempire la testa della gente con la cultura del passato è la cosa più inutile che si possa fare.

INTERLOCUTORE – Ma il passato vuol dire esperienza... Nella vita dei popoli e in quella delle persone...

HENRY FORD – Anche l'esperienza individuale non serve ad altro che a perpetuare il ricordo dei fallimenti. In fabbrica gli esperti sanno solo dirti che questo non si può fare, che quello è già stato provato ma non funziona... Se avessi dato retta agli esperti, non avrei mai realizzato niente di quello che sono riuscito a realizzare, mi sarei scoraggiato fin dal principio, non sarei mai riuscito a montare un motore a scoppio. A quell'epoca gli esperti pensavano che l'elettricità potesse risolvere tutto, che anche i motori dovessero essere elettrici. Tutti erano affascinati da Edison, giustamente, e anch'io lo ero. E andai a chiedere a lui se credeva che io fossi un pazzo, come dicevano, perché m'ero intestato a far marciare un motore che faceva «tuff tuff». E allora proprio lui, Edison, il grande Edison, mi ha detto: «Giovanotto, ti dirò quello che penso. Io ho lavorato sull'elettricità tutta la mia vita. Ebbene, le macchine elettriche non potranno mai allontanarsi troppo dalle stazioni di rifornimento. Inutile pensare di portarsi dietro delle batterie d'accumulatori: sono troppo pesanti. Neanche le macchine a vapore sono l'ideale: avranno sempre bisogno d'una caldaia e di fuoco, e di quel che ci vuole per alimentarlo. Invece la macchina che hai trovato tu è sufficiente a se stessa: niente fuoco, niente caldaia, niente fumo, niente vapore; la sua fabbrica d'energia se la trasporta con sé. È questo che ci voleva, giovanotto. Tu sei sulla buona strada! Continua a lavorare, non ti perdere d'animo! Se riesci a inventare un motore di piccolo peso che si alimenti da solo, senza bisogno di caricarsi come una batteria, avrai un grande futuro!».

Ecco cosa m'ha detto il grande Edison. Lui che era il re dell'elettricità fu il solo a capire che stavo facendo qualcosa a cui l'elettricità non sarebbe arrivata. No, non conta essere un esperto, non conta quello che uno ha fatto. È quello che uno può fare e vuole fare, che conta! Le idee che uno ha per il futuro!

INTERLOCUTORE – Oggi il suo futuro è già un passato... e condiziona tutto il nostro presente... Mi dica, oggi, guardandosi intorno, riconosce il futuro che lei voleva? Dico il futuro che lei vedeva agli inizi, quando era un giovane campagnolo del Michigan, che si chiudeva nella rimessa della fattoria di suo padre, a sperimentare modelli di cilindri e pistoni, e cinghie di trasmissione, e differenziali per le ruote... Mi dica, Mister Ford, ricorda cosa voleva allora...?

HENRY FORD – Sì, volevo la leggerezza, un motore leggero per un veicolo leggero, come il calessino sul quale cercavo inutilmente d'installare una caldaia a vapore... Ho sempre cercato la leggerezza, la riduzione degli sprechi di materiale, di fatiche... Passavo le giornate chiuso nel capanno della rimessa... Da fuori sentivo arrivare ventate d'odor di fieno... e il fischio del tordo, dal vecchio olmo vicino allo stagno... una farfalla entrava dalla finestra, attratta dal bagliore della caldaia, sbatteva le ali intorno, poi al trepestio dello stantuffo, volava via, silenziosa, leggera...

(Immagini di ingorghi del traffico in una grande città, di code di camion a una autostrada, di lavoro alle presse d'un laminatoio, di lavoro a una catena di montaggio, di fumo di ciminiere etc. si sovrappongono alla figura di Ford mentre pronuncia le ultime frasi).

L'ultimo canale

Il mio pollice s'abbassa indipendentemente dalla mia volontà: di momento in momento, a intervalli irregolari, sento il bisogno di premere, di schiacciare, di scoccare un impulso improvviso come un proiettile; se era questo che volevano dire quando m'hanno concesso la seminfermità mentale, hanno visto giusto. Ma sbagliano se credono che non ci fosse un disegno, un'intenzione ben chiara nel mio comportamento. Solo ora, nella calma ovattata e smaltata di questa stanzetta di clinica, posso smentire le incongruità che m'è toccato sentirmi attribuire al processo, da parte tanto dell'accusa quanto della difesa. Con questo memoriale che spero di far recapitare ai magistrati d'appello, benché i miei difensori vogliano a tutti i costi impedirmelo, intendo ristabilire la verità, la sola verità, la mia, se mai qualcuno sarà in grado di capirla.

I medici annaspano nel buio anche loro, ma almeno vedono con favore il mio proposito di scrivere e m'hanno concesso questa macchina e questa risma di carta: credono che ciò rappresenti un miglioramento dovuto al fatto di ritrovarmi rinchiuso in una stanza senza televisore e attribuiscono la cessazione dello spasimo che mi contraeva una mano all'avermi privato del piccolo oggetto che impugnavo quando sono stato arrestato e che ero riuscito (le convulsioni che minacciavo ogni volta che me lo strappavano di mano non erano simulate) a tenere con me durante la detenzione, gli interrogatori, il processo. (E come avrei potuto spiegare – se non dimostrando che il corpo del reato era diventato una parte del mio corpo – ciò che avevo fatto e – pur senza riuscire a convincerli – perché l'avevo fatto?)

La prima idea sbagliata che si sono fatti di me è che la mia attenzione non possa seguire per più di pochi minuti una successione coerente d'immagini, che la mia mente riesca a captare solo frantumi di storie e di discorsi senza un prima né un dopo, insomma che nella mia testa si sia spezzato il filo delle connessioni che tiene insieme il tessuto del mondo. Non è vero, e la prova che portano a sostegno della loro tesi – il mio modo di stare immobile per ore e ore davanti al televisore acceso senza seguire nessun programma, costretto come sono da un tic compulsivo a saltare da un canale all'altro – può ben dimostrare proprio il contrario. Io sono convinto che un senso negli avvenimenti del mondo ci sia, che una storia coerente e motivata in tutta la sua serie di cause e d'effetti si stia svolgendo in questo momento da qualche parte, non irraggiungibile dalla nostra possibilità di verifica, e che essa contenga la chiave per giudicare e comprendere tutto il resto. È questo convincimento che mi tiene inchiodato a fissare il video con gli occhi abbacinati mentre gli scatti frenetici del telecomando fanno apparire e scomparire interviste con ministri, abbracci d'amanti, pubblicità di deodoranti, concerti rock, arrestati che si nascondono il viso, lanci di razzi spaziali, sparatorie nel West, volteggi di ballerine, incontri di boxe, concorsi di quiz, duelli di samurai. Se non mi fermo a guardare nessuno di questi programmi è perché il programma che cerco io è un altro, e io so che c'è, sono sicuro che non è nessuno di questi, e questi li trasmettono solo per trarre in inganno e scoraggiare chi come me è convinto che sia l'*altro* programma quello che conta. Per questo continuo a passare da un canale all'altro: non perché la mia mente sia ormai incapace di concentrarsi neppure quel minimo che ci vuole per seguire un film o un dialogo o una corsa di cavalli. Al contrario: la mia attenzione è già tutta proiettata su qualcosa che non posso assolutamente mancare, qualcosa di unico che sta producendosi in questo momento mentre ancora il mio video è ingombro d'immagini superflue e intercambiabili, qualcosa che dev'essere già cominciato e certo ne ho perduto l'inizio e se non m'affretto rischio di perderne pure la fine. Il mio dito saltella sulla tastiera del selettore scartando gli involucri della vana apparenza come spoglie sovrapposte d'una cipolla multicolore.

Intanto il *vero* programma sta percorrendo le vie dell'etere su una banda di frequenza che io non conosco, forse si perderà nello spazio senza che io possa intercettarlo: c'è una stazione sconosciuta che sta trasmettendo una storia che mi riguarda, la *mia* storia, l'unica storia che può spiegarmi chi sono, da dove vengo e dove sto andando. Il solo rapporto che posso stabilire in questo momento con la mia storia è un rapporto negativo: rifiutare le altre storie, scartare tutte le immagini menzognere che mi si propongono. Questo pulsare di tasti è il ponte che io getto verso quell'altro ponte che s'apre a ventaglio nel vuoto e che i miei arpioni non riescono ad agganciare: due ponti discontinui d'impulsi elettromagnetici che non si congiungono e si perdono nel pulviscolo d'un mondo frantumato.

È stato quando ho capito questo che ho cominciato a brandire il telecomando non più verso il video, ma fuori della finestra, sulla città, le sue luci, le insegne al neon, le facciate dei grattacieli, i pinnacoli sui tetti, i tralicci delle gru dal lungo becco di ferro, le nuvole. Poi sono uscito per le vie col telecomando nascosto sotto l'ala del mantello, puntato come un'arma. Al processo hanno detto che odiavo la città, che volevo farla scomparire, che ero spinto da un impulso di distruzione. Non è vero. Amo, ho sempre amato la nostra città, i suoi due fiumi, le rare piccole piazze alberate come laghi d'ombra, il miagolio straziante delle sirene delle ambulanze, il vento che prende d'infilata le Avenues, i giornali spiegazzati che volano raso terra come stanche galline. So che la nostra città potrebb'essere la più felice del mondo, so che lo è, non qui sulla lunghezza d'onda in cui io mi muovo ma su un'altra banda di frequenza, è lì che la città che ho abitato per tutta la mia vita diventa finalmente il mio habitat. È quello il canale che cercavo di sintonizzare quando puntavo il selettore sulle vetrine scintillanti delle gioiellerie, sulle facciate maestose delle banche, sui baldacchini e le porte girevoli dei grandi alberghi: a guidare i miei gesti era il desiderio di salvare tutte le storie in una storia che fosse anche la mia: non la malevolenza minacciosa e ossessiva di cui sono stato accusato.

Annaspavano tutti nel buio: la polizia, i magistrati, i periti psichiatrici, gli avvocati, i giornalisti. «Condizionato dal bisogno compulsivo di cambiare continuamente canale, un telespettatore impazzisce e pretende di cambiare il mondo a colpi di telecomando»: questo lo schema che con poche varianti è servito a definire il mio caso. Ma i test psicologici hanno sempre escluso che in me ci fosse la vocazione dell'eversore; anche il mio grado d'accettazione dei programmi attualmente in corso non si distacca di molto dalla media degli indici di gradimento. Forse cambiando canale non cercavo lo sconvolgimento di tutti i programmi ma qualcosa che qualsiasi programma potrebbe comunicare se non fosse corroso dal di dentro dal verme che snatura tutte le cose che circondano la mia esistenza.

Allora hanno escogitato un'altra teoria, adatta a farmi rinsavire, essi dicono; anzi, attribuiscono all'essermene io convinto da solo il freno inconscio che m'ha trattenuto dagli atti criminosi che mi credevano pronto a commettere. È la teoria secondo la quale si ha un bel cambiare canale ma il programma è sempre lo stesso o è come se lo fosse, sia film o notiziario o pubblicità che venga trasmesso, il messaggio è uno solo da tutte le stazioni perché tutto e tutti facciamo parte d'un sistema; e anche fuori del video, il sistema invade tutto e non lascia spazio che a cambiamenti d'apparenza; dunque che io m'agiti tanto con la mia tastiera o che me ne stia a mani in tasca fa proprio lo stesso, perché dal sistema non riuscirò mai a scappare. Non so se quelli che sostengono queste idee ci credono o se lo dicono solo pensando di mettermi in mezzo; comunque su di me non hanno mai avuto presa perché non possono scalfire la mia convinzione sull'essenza delle cose. Per me ciò che conta nel mondo non sono le uniformità ma le differenze: differenze che possono essere grandi o anche piccole, minuscole, magari impercettibili, ma quel che conta è appunto il farle saltar fuori e metterle a confronto. Lo so anch'io che a passare da canale a canale l'impressione è d'un'unica minestra; e so anche che i casi della vita sono stretti da una necessità che non li lascia variare più di tanto: ma è in quel piccolo scarto che sta il segreto, la scintilla che mette in moto la macchina delle conseguenze, per cui le differenze poi diventano notevoli, grandi, grandissime e addirittura infinite. Guardo le cose intorno a me, tutte storte, e penso che un niente sarebbe bastato, un errore evitato a un determinato momento, un sì o un no che pur lasciando intatto il quadro generale delle circostanze avrebbe portato a conseguenze tutte diverse. Cose così semplici, così naturali, che m'aspettavo sempre che stessero per svelarsi da un momento all'altro: pensare questo e premere i pulsanti del selettore era tutt'uno.

Con Volumnia avevo creduto d'aver imbroccato finalmente il canale giusto. Difatti, durante i primi tempi della nostra relazione, lasciai riposare il telecomando. Tutto mi piaceva di lei, la pettinatura a *chignon* color tabacco, la voce quasi da contralto, i pantaloni alla zuava e gli stivali appuntiti, la passione da me condivisa per i bulldog e per i cactus. Ugualmente confortevoli trovavo i suoi genitori, le località dove essi avevano effettuato investimenti immobiliari e dove trascorrevamo corroboranti periodi di vacanza, la società d'assicurazioni in cui il padre di Volumnia m'aveva promesso un impiego creativo con cointeressenza dopo il nostro matrimonio. Tutti i dubbi, le obiezioni, le ipotesi che non convergessero nel senso voluto cercavo di scacciarle dalla mia mente, e quando m'accorsi che si ripresentavano sempre più insistenti, cominciai a domandarmi se le piccole incrinature, i malintesi, gli impacci che fin'allora m'erano apparsi come offuscamenti momentanei e marginali non potessero essere interpretati come presagi delle prospettive future, cioè che la nostra felicità contenesse latente la sensazione di forzatura e di noia che si prova con un cattivo teleromanzo. Eppure la mia convinzione che Volumnia e io fossimo fatti l'uno per l'altra non veniva mai meno: forse su un altro canale una coppia identica alla nostra ma che il destino aveva dotata di doni solo leggermente diversi s'accingeva a vivere una vita cento volte più attraente...

Fu con questo spirito che quel mattino alzai il braccio impugnando il telecomando e lo diressi verso le corbeille di camelie bianche, verso il cappellino guarnito di grappoli azzurri della madre di Volumnia, la perla sulla cravatta a plastron del padre, la stola dell'officiante, il velo ricamato d'argento della sposa... Il gesto, nel momento in cui tutti gli astanti s'aspettavano il mio «sì», fu male interpretato: da Volumnia per prima, che vi vide una ripulsa, uno sfregio irreparabile. Ma io volevo significare solo che di là, su quell'altro canale, la storia di Volumnia e mia correva lontano dal tripudio delle note dell'organo e dei flash dei fotografi, ma con molte cose di più che l'identificavano alla verità mia e sua...

Forse su quel canale al di là di tutti i canali la nostra storia non è finita. Volumnia continua ad amarmi, mentre qui, nel mondo in cui io abito non sono più riuscito a farle intendere le mie ragioni: non ha più voluto vedermi. Da quella rottura violenta non mi sono più sollevato; è da allora che ho cominciato quella vita che è stata descritta sui giornali come quella d'un demente senza fissa dimora, che vagava per la città armato del suo aggeggio incongruente... Invece mai come allora i miei ragionamenti sono stati chiari: avevo capito che dovevo cominciare ad agire dal vertice: se le cose vanno per storto su tutti i canali, ci dev'essere un ultimo canale che non è come gli altri in cui i governanti, forse non troppo diversi da questi ma con dentro di sé qualche piccola differenza nel carattere, nella mentalità, nei problemi di coscienza, possono fermare le crepe che s'aprono nelle fondamenta, la sfiducia reciproca, il degradarsi dei rapporti umani...

Ma la polizia mi teneva d'occhio da tempo. Quella volta che di tra la folla assiepata a veder scendere dalle macchine i protagonisti del grande incontro dei Capi di Stato mi feci largo e m'intrufolai tra le vetrate del palazzo, in mezzo agli schieramenti dei servizi di sicurezza, non feci in tempo ad alzare il braccio col telecomando puntato e mi furono tutti addosso trascinandomi via, per quanto protestassi che non volevo interrompere la cerimonia ma solo vedere cosa davano sull'altro canale, per curiosità, solo per pochi secondi.

PICCOLO SILLABARIO ILLUSTRATO

(da Georges Perec)

Il Petit abécédaire illustré *di Georges Perec (pubblicato privata-
mente nel 1969 e poi in: Oulipo,* La littérature potentielle,
Gallimard 1973, pp. *239 e 305) è composto di 16 brevissimi testi narrativi la cui chiave viene data in fondo: ognuno di essi
equivale semanticamente a un altro testo di poche sillabe che a
sua volta equivale foneticamente alla successione d'una consonante e delle cinque vocali come nei sillabari: BA-BE-BI-BO-
BU, CA-CE-CI-CO-CU, DA-DE-DI-DO-DU, e così via per tutte le consonanti dell'alfabeto.*

*Per esempio: PA-PE-PI-PO-PU è reso così: «Trasferitosi a
Cremona, il Sommo Pontefice scruta con ansia il fiume che man-
da cattivo odore.* Pape épie, Pô pue».

*Un'operazione equivalente presenta in italiano maggiori diffi-
coltà, dato che il rapporto fonetica-ortografia nella nostra lingua
non permette varianti se non minime, e dato anche che i mono-
sillabi sono più scarsi, e soprattutto che pochissime parole finiscono in u. Ho tuttavia cercato di condurre l'operazione fino in fondo, per tutte le consonanti dell'alfabeto italiano (esclusa la Q)
compresi il doppio suono della C e della G e le consonanti composte GL, GN, SC: in totale 19 esercizi di sillabario.*

*Mi sono tenuto rigorosamente alle serie tipo BA-BE-BI-BO-
BU, senza altra libertà che quella di raddoppiare la consonante e
la vocale. (In qualche caso la vocale viene triplicata). Le due sole
eccezioni riguardano la serie GN, in cui una vocale estranea viene elisa nella pronuncia ma non nella grafia, e la serie in P che
termina con una consonante estranea semimuta. (Questo testo in*

P è un contributo di Giampaolo Dossena). L'uso delle sigle, raro in Perec, è stato qui necessario in parecchi casi.

Credo d'essere riuscito ad attribuire un senso a tutte le successioni di sillabe. Per la serie Z l'impresa si presentava disperata, ma sarebbe stato poco sportivo arrendersi proprio alla fine.

BA-BE-BI-BO-BU

Tutte le ragazze impazziscono per Bob ma egli sembra insensibile alle loro lusinghe. Saputo che Bob parte per una crociera in India, Ulrica decide d'imbarcarsi sullo stesso piroscafo, sicura che le lunghe giornate di navigazione saranno propizie alla conquista. All'amica Ludmilla, che le manifesta il suo scetticismo, Ulrica dice: «Vedrai. Appena riuscirò a sedurlo ti scriverò. Scommetto che sarà prima d'uscire dal Mar Rosso». Difatti, da Bad-el-Mandeb, Ludmilla riceve una laconica cartolina.

Bab. Ebbi Bob. U.

CA-CHE-CHI-CO-CU

Nella clinica gastroenterologica viene condotta una ricerca sulle feci dei pazienti. Ogni produzione fecale viene classificata in diciassette categorie designate da lettere dell'alfabeto: dalla A, per le più voluminose, alla Q, per quelle minuscole. Un infermiere compie ogni mattino il giro dei reparti, chiede a ogni ricoverato se ha feci recenti da mostrare, e dopo una rapida occhiata, segna la lettera corrispondente nel registro. Poche parole gli bastano a formulare domande, valutazioni e conclusioni.

– Cacche? Chicco. Q.

CIA-CE-CI-CIO-CIU

L'istituzione delle Comuni, nella Cina di Mao, si scontrò agli inizi contro gravi difficoltà. La distribuzione dei generi alimentari avveniva in modo irregolare e i magazzini di vendita al pubblico restavano talora completamente sprovvisti. Poteva succedere che una massaia che chiedeva allo spaccio la sua razione di legumi si sentisse rispondere che le scorte erano finite e che nel negozio vuoto non restava che il ritratto del primo ministro appeso al muro.

– Ci ha ceci? – Ci ho Ciu.

DA-DE-DI-DO-DU

Una giovane americana che studia bel canto in Italia non è molto dotata per il do di petto. Il maestro la implora che butti fuori la nota, e per essere più persuasivo, cerca d'esortarla in inglese a fare quanto lui le chiede.

– Dà, deh, di do! Do*!

* In inglese.

FA-FE-FI-FO-FU

Difetto di registrazione o contraffazione intenzionale della voce, dal disco non si riusciva a riconoscere chi era l'attore comico che aveva inciso quello sketch. Ma bastò ascoltare la registrazione con un impianto hi-fi per non avere più dubbi.

– Fa fe' fi: Fo fu.

GA-GHE-GHI-GO-GU

Un certo Ghigo fa ridere di sé ogni volta che per difendere un suo diritto sbandiera un decreto pubblicato sulla Gazzetta Ufficiale.

Gag è Ghigo: – Ho G. U.

GIA-GE-GI-GIO-GIU

– Questa volta non mi scappi, Joe! – disse lo sceriffo. – Butta a terra le pistole, svelto! Non è il momento di metterti a gingillare!

– Già aggeggi, Joe? Giù!

GLIA-GLIE-GLI-GLIO-GLIU

Un erbivendolo toscano, sentendo che qualcuno si domanda se ha dell'aglio, risponde che i suoi agli sono sugosi come l'olio.

– Gli ha agli egli? – Gli ho ogli, uh!

GNA-GNE-GNI-GNO-GNU

La signora Agnese, in dialetto Gnà Agnè, è paragonata, da un poeta che la corteggia, a un'antilope di fuoco, anzi a tutte le antilopi di fuoco che si possono immaginare.

Gnà Agnè è (o)gni igneo gnù.

LA-LE-LI-LO-LU

Nei suoi inquieti amori con Nietzsche, Lou Salome avrebbe ben voluto provocare nell'amico una levitazione non solo spirituale ma anche fisica. Battendosi le mani sulla fronte, il filosofo le rispondeva che solo la sua mente era dotata d'ali per innalzarsi a volo.

– L'ale li l'ho, Lou!

MA-ME-MI-MO-MU

I maestri del buddismo Zen, posti di fronte a una domanda che non ammette altra risposta che un sì o un no, ricorrono a un terzo termine: mu, parola giapponese che significa: «né sì né no» ossia «questa domanda è malposta». Così anch'io accompagno i sì e i no che mi vengono strappati dalle circostanze con alzate di spalle e scrollate del capo che si rivolgono sopratutto a me stesso.

– Ma a me mimo mu.

NA-NE-NI-NO-NU

L'obiezione che veniva mossa alla nomina di Pietro Nenni a Ministro degli Esteri era che egli non godesse della simpatia degli ambienti diplomatici americani. I suoi sostenitori controbattevano questo argomento ricordando che poteva contare su molti amici alle Nazioni Unite.

– N'ha Nenni in ONU.

PA-PE-PI-PO-PU

(da Giampaolo Dossena)

1944. Il cielo notturno dell'Italia del Nord occupata dai Tedeschi è solcato non solo dalle potenti squadriglie dei bombardieri americani ma anche da un piccolo aereo inglese solitario, che ogni notte sorvola campagne e paesi sperduti e sgancia qualche bomba ogni tanto senz'altro obiettivo apparente che quello d'una sua «guerra dei nervi». Gli Italiani hanno imparato a riconoscere il suo rombo e a non mettersi in allarme per le sue visite quasi sempre inoffensive. Lo chiamano «Pippo».

Una notte stavo leggendo il libro di Desiderius Papp *Avvenire e fine del mondo* e riflettevo sulla fuga delle galassie, sull'esplodere e spegnersi delle stelle, sulle prospettive d'un'estinzione della vita sulla terra. Fu allora che sentii un rombo avvicinarsi nel cielo, poi un'esplosione. «Pippo» aveva sganciato una bomba. Dalle remote lontanze del cosmo, fui riportato improvvisamente al «qui e ora».

– Papp, e Pippo: Pu(m)!

RA-RE-RI-RO-RU

Quando alla Segreteria delle Nazioni Unite fu
insediato un birmano, c'era chi si domandava se
la cattiva pronuncia della lettera «r», caratteristica degli orientali, non avrebbe causato difficoltà. Invece in pochi mesi U Tant dimostrò di
padroneggiare benissimo la fonetica occidentale.
E un amico se ne congratulò con lui, dandogli
atto che ormai solo poche volte la pronuncia di
una «erre» lasciava a desiderare.
- Rare erri «r» or, U.

SA-SE-SI-SO-SU

Per convincere il proprietario d'un night-club a
scritturarla, una spogliarellista lo assicura della
propria efficacia nel provocare l'eccitazione degli spettatori.
- Sa? Sessi isso su!

SCIA-SCE-SCI-SCIO-SCIU

Uno studioso di linguistica comparata, giunto in
Persia per verificare alcune particolarità della
fonetica indoeuropea, si avventura nel palazzo
dello Scià. Un giannizzero gli intima d'uscire,
avvertendolo che l'Imperatore ricorre ancora alla decapitazione mediante la scure. Con cando-
re, lo studioso si limita a indicare l'oggetto della
sua ricerca: l'origine delle desinenze in u nei
dialetti della Campania preromana, particolar-
mente in quello degli Osci.
- Scià ha asce! Esci! Sciò! - Osci u.

TA-TE-TI-TO-TU

Un impiegato di banca toscano, a un amico che gli chiede schiarimenti sulla causale d'una cifra che risulta addebitata al suo conto corrente, spiega che si tratta del pagamento della bolletta del telefono che la banca preleva d'ufficio per versarla alla società TETI.

– T'ha TETI tot, tu.

VA-VE-VI-VO-VU

Apparizione insolita nel centro della metropoli, una gallina attraversava lentamente la strada provocando bruschi arresti nel traffico. Un cittadino s'affrettò ad avvertire un vigile urbano, con parole rapide e un po' enfatiche.

– Va ave vivo, V.U.!

ZA-ZE-ZI-ZO-ZU

Il verbo «zazzeare» è usato di rado ma figura nei dizionari col significato di «andare a zonzo». Un tale, che ama i vocaboli desueti e per di più fa un frequente uso di elisioni, incontra suo zio e gli chiede se va a spasso. Lo zio, che a sua volta ha la mania d'usare a dritto e a traverso preposizioni tedesche, gli risponde che è diretto al giardino zoologico.

– Zazze', zi? – Zoo zu!

Nota dell'Editore

Le prose raccolte per la prima volta in questo volume sono state pubblicate nelle sedi sotto elencate. Nei casi in cui si disponga sia del manoscritto che del testo a stampa, si è data la preferenza a titolo e lezioni del manoscritto.

Apologhi e racconti 1943-1958

L'uomo che chiamava Teresa, manoscritto datato 12.4. 1943.

Il lampo, manoscritto datato 25.4.1943.

Chi si contenta, manoscritto datato 17.5.1943; pubblicato in «la Repubblica» 17.9.1986.

Fiume asciutto, manoscritto datato ottobre 1943.

Coscienza, manoscritto datato 1.12.1943.

Solidarietà, manoscritto datato 3.12.1943.

La pecora nera, manoscritto datato 30.7.1944.

Buon a nulla, 1945-46, titolo del manoscritto originale; progetto di romanzo poi divenuto racconto. Con il titolo *Come non fui Noè* apparve in una piccola rivista non identificabile. Sono state trovate soltanto le pagine di questo racconto, strappate.

Come un volo d'anitre, «Il Settimanale» II, 18, 3.5.1947.

Amore lontano da casa, bozze con correzioni autografe, 1946.

Vento in una città, bozze con correzioni autografe, 1946.

Il reggimento smarrito, «L'Unità» 15.7.1951; versione definitiva in AA.VV., *Quattordici racconti*, Mondadori, Milano 1971.

Occhi nemici (titolo del manoscritto); poi in «L'Unità» 2.2.1952 col titolo *Gli occhi del nemico*.

Un generale in biblioteca (titolo del manoscritto); poi in «L'Unità» 30.10.1953 col titolo *Il generale in biblioteca*.

La collana della regina, pubblicato con il titolo *Frammento di romanzo* in *I giorni di tutti*, Edindustria editoriale S.p.A., 1960. La Nota dell'Autore recita: «Le pagine che seguono sono tratte da un romanzo che ho lavorato negli anni '52, '53, '54 e che non ho continuato. Attraverso le peripezie d'una collana di perle smarrita, il romanzo voleva dare una rappresentazione satirica dei vari ambienti sociali d'una città industriale, negli anni di tensione del dopoguerra».

La gran bonaccia delle Antille, «Città Aperta» I, 4-5, 25.7.1957; la *Nota 1979* fu scritta da Calvino nel 1979 dietro richiesta di Felice Froio.

La tribù con gli occhi al cielo, manoscritto con una nota autografa dell'Autore, che dice: «Ottobre 1957 – dopo il missile sovietico, prima del satellite. Per "Città Aperta", poi non pubblicato».

Monologo notturno di un nobile scozzese, «L'Espresso» 25.5.1958; nella nota in terza persona che accompagna la pubblicazione di questo racconto si dice, certamente su suggerimento dell'Autore: «In questo apologo lo scrittore Italo Calvino esprime un suo giudizio sulla situazione italiana alla vigilia delle elezioni. Si tratta di un racconto a chiave. Nei Mac Dickinson, cioè negli episcopali, sono raffigurati i democristiani; nei Mac Connolly, cioè nei metodisti, i comunisti; nei Mac Ferguson, cioè nei presbiteriani, i laici. Il nobile scozzese è uno di essi. Abbiamo peccato, dice in sostanza Calvino, perché ci siamo sempre rifiutati di considerare le nostre guerre come guerre di religione, illudendoci che così fosse più facile arrivare ad un compromesso». Il testo qui pubblicato è quello del dattiloscritto con correzioni autografe di Calvino.

Una bella giornata di marzo, «Città Aperta» II, 9-10, giugno-luglio 1958.

Racconti e dialoghi 1968-1984

La memoria del mondo, Club degli Editori, Milano 1968.

La decapitazione dei capi, «Il Caffè» XIV, 4, 4.8.1969; la Nota dell'Autore dice: «Le pagine che seguono sono abbozzi di capitoli d'un libro che da tempo vado progettando, e che vorrebbe proporre un nuovo modello di società, cioè un sistema politico basato sulla uccisione rituale dell'intera classe dirigente a intervalli di tempo regolari. Non ho ancora deciso che forma avrà il libro. Ognuno dei capitoli che ora presento potrebbe essere l'inizio d'un libro diverso; i numeri d'ordine che essi portano non implicano perciò una successione».

L'incendio della casa abominevole, «Playboy» edizione italiana, 1973.

La pompa di benzina (titolo del manoscritto); poi in «Corriere della Sera» 21.12.1974 col titolo *La forza delle cose*.

L'uomo di Neanderthal, in AA.VV., *Le interviste impossibili*, Bompiani, Milano 1975.

Montezuma, in AA.VV., *Le interviste impossibili*, Bompiani, Milano 1975.

Prima che tu dica «Pronto», «Corriere della Sera» 27.7.1975.

La glaciazione, testo scritto su richiesta della ditta nipponica di bevande alcoliche «Suntori» pubblicato dapprima in giapponese, poi in «Corriere della Sera» 18.11.1975.

Il richiamo dell'acqua, prefazione-racconto al volume di Vittorio Gobbi e Sergio Torresella, *Acquedotti ieri e oggi*, Montubi, Milano 1976.

Lo specchio, il bersaglio (titolo del manoscritto); poi in «Corriere della Sera» 14.12.1978 col titolo *C'è una donna dietro il bersaglio*.

Le memorie di Casanova, racconti scritti per accompagnare un volume di acqueforti di Massimo Campigli pubblicato da Salomon e Torrini editori, 1981, con una Nota dell'Autore in terza persona: «Dopo "Le città invisibili", catalogo di città immaginarie visitate da un redivivo Marco Polo, Italo Calvino comincia un'altra serie di brevi racconti, anche queste avventure attribuite a un famoso veneziano, che stavolta è Giacomo Casanova. Un "catalogo" anche questo, ma di situazioni amorose». Poi in «la Repubblica» 15-16.8.1982.

Henry Ford, dattiloscritto con correzioni autografe datato 30.9.1982. Dialogo scritto per la TV poi non realizzato.

L'ultimo canale, «la Repubblica» 31.1.1984.

Piccolo sillabario illustrato, Bibliothèque Oulipienne n° 6, plaquette fuori commercio, con breve introduzione di Italo Calvino, Paris 1978. Pubblicato, con stesura leggermente diversa, in «Il Caffè» a. XXII, serie VIII, n° 1, 1977 e poi in *Oulipo, la letteratura potenziale*, CLUEB, Bologna 1985.

Indice

7   *Nota di Esther Calvino*

Apologhi e racconti 1943-1958

15 L'uomo che chiamava Teresa
18 Il lampo
20 Chi si contenta
22 Fiume asciutto
28 Coscienza
31 Solidarietà
34 La pecora nera
37 Buon a nulla
44 Come un volo d'anitre
52 Amore lontano da casa
63 Vento in una città
72 Il reggimento smarrito
79 Occhi nemici
85 Un generale in biblioteca
92 La collana della regina
124 La gran bonaccia delle Antille (con *Nota 1979*)
133 La tribù con gli occhi al cielo
137 Monologo notturno di un nobile scozzese
142 Una bella giornata di marzo

Racconti e dialoghi 1968-1984

149   La memoria del mondo

158   La decapitazione dei capi

176   L'incendio della casa abominevole

194   La pompa di benzina

202   L'uomo di Neanderthal

213   Montezuma

227   Prima che tu dica «Pronto»

238   La glaciazione

243   Il richiamo dell'acqua

249   Lo specchio, il bersaglio

258   Le memorie di Casanova

271   Henry Ford

294   L'ultimo canale

303   Piccolo sillabario illustrato

315   *Nota dell'Editore*

I libri di Italo Calvino

in edizione Mondadori

Volumi pubblicati

In brossura:
Il visconte dimezzato
Il barone rampante
Il cavaliere inesistente
Marcovaldo
La giornata d'uno scrutatore
La nuvola di smog e La formica argentina
Gli amori difficili
Palomar
Collezione di sabbia
L'entrata in guerra
La speculazione edilizia
Fiabe italiane
Sotto il sole giaguaro

In edizione rilegata:
I racconti
La strada di San Giovanni
I nostri antenati
Perché leggere i classici
Prima che tu dica «Pronto»

Questo volume è stato impresso
nel mese di settembre dell'anno 1993
presso la Arnoldo Mondadori Editore S.p.A.
Stabilimento di Verona

Stampato in Italia - Printed in Italy